Während eines Ausflugs auf der Themse am 4. Juli 1862 beginnt Charles Lutwidge Dodgson, dessen Pseudonym Lewis Carroll ist, den kleinen Töchtern eines Freundes die Geschichte von Alice zu erzählen.

Alice ist ein sehr neugieriges und etwas altkluges kleines Mädchen, das an einem heißen Sommertag durch ein Kaninchenloch kopfüber ins Wunderland fällt. Dort badet sie mit einer Maus in einem Tränentümpel, führt sokratische Dialoge mit der grinsenden Schmeichelkatze, trinkt Tee mit einem Märzhasen und einem verrückten Hutmacher, lauscht den traurigen Gesängen der Falschen Suppenschildkröte und spielt mit der Herzogin Krocket – lauter Gestalten, die es an Bekanntheit längst mit Gulliver oder Don Quichotte aufnehmen können. Alices größtes Problem ist freilich, daß sie abwechselnd wächst und schrumpft – und selten genau die richtige Größe für ihre Umgebung hat...

Lewis Carroll (1832–1898) war Dozent für Mathematik und Logik in Oxford, beschäftigte sich aber daneben viel mit der Malerei – seine Kinderportraits sind bis heute berühmt. Schon bald nach der Veröffentlichung wurde sein erster Roman *Alice im Wunderland* ein Klassiker der Kinderliteratur. Durch den Erfolg ermutigt, ließ Carroll sechs Jahre später die Fortsetzung der Geschichte, *Alice im Spiegelland*, folgen. Auch seine weiteren Kinderbücher waren sehr erfolgreich.

Im Goldmann Verlag liegt bereits vor:

Silvie & Bruno. Ein phantastischer Nonsens-Roman
in zwei Teilen (8552/8553)

LEWIS CARROLL

ALICE IM WUNDERLAND

*Ins Deutsche übertragen
und mit einem Nachwort versehen
von Dieter H. Stündel*

Goldmann Verlag

Titel der Originalausgabe: Alice's Adventures in Wonderland

Illustrationen von Johann Peterka, Wien

Der Goldmann Verlag
ist ein Unternehmen der Verlagsgruppe Bertelsmann

Made in Germany · 9/88 · 1. Auflage
© 1988 by Wilhelm Goldmann Verlag, München
Umschlaggestaltung: Design Team München
Umschlagillustration: Johann Peterka
Satz: IBV Satz- und Datentechnik GmbH, Berlin
Druck: Elsnerdruck, Berlin
Verlagsnummer: 9131
Lektorat: Michael Görden · UK
Redaktion: Agnes Krup-Ebert
Herstellung: Peter Papenbrok
ISBN 3-442-09131-4

ALICE IM WUNDERLAND

Inhalt

Den ganzen gold'nen Nachmittag
  Wir gleiten hin ganz leise;
Behutsam mit dem Ruderschlag
  Sich Ärmchen mühn im Schweiße
Vergebens kämpfen Händchen drum,
  Daß gerade geht die Reise.

Ach, harte Drei! Zu solcher Stund,
  Bei diesem schönen Wetter,
Sie bitten um Geschichten mich,
  Wo träumen doch viel netter!
Doch wer kann widerstehen schon,
  Wo ist da bloß ein Retter?

Die Prima ordnet strenge an,
  Sogleich jetzt anzufangen!
Secunda will in sanft'rem Ton
  Auch Unsinn drin verlangen!
Die Einwürfe der Tertia
  Als Fragen mich durchdrangen.

Doch dann trat endlich Stille ein,
  Sie lauschten ganz gebannt,
Wie tief im Traum das kleine Kind
  Erforschte neues Land,
Wie es mit Tieren, Vögeln sprach,
  War halb als wahr erkannt.

Und stets, wenn der Erzähler still,
  Die Phantasie versagte
Und dieser müd' zu trösten sie
  Auf spät're Zeiten wagte,
»Auf später, ach, das ist doch jetzt!«
  Zu neuem man ihn jagte.

Und so entstand das Wunderland:
  Ganz langsam, Stück für Stück –
Aus vielem kleinen Mosaik
  Erwuchs ein Märchenglück,
Und abends fröhlich fuhr das Boot
  Mit seiner Last zurück.

Alice! Nimm dieses Märchen hier
  Behutsam in die Hand,
Leg's, wo der Kindheit Träume sich
  Mit Mystischem verband,
So wie ein welker Pilgerstrauch
  Aus einem fernen Land.

I. KAPITEL

Tief in den Kaninchenbau

Alice langweilte es allmählich, neben ihrer Schwester am Bach zu sitzen und nichts zu tun: ein-, zweimal hatte sie in das Buch gespäht, daß ihre Schwester las, aber es waren weder Bilder noch Gespräche darin, »und wozu gibt es überhaupt ein Buch«, überlegte Alice, »ohne Bilder oder Gänsefüßchen?«

Daher fragte sie sich (soweit sie dazu die Energie aufbringen konnte, denn von der Hitze fühlte sie sich sehr schläfrig und faul), ob der Spaß, eine Gänseblumenkette zu machen, die Anstrengung rechtfertige, aufzustehen und Gänseblümchen zu pflücken, als plötzlich ein weißes Kaninchen mit rosa Augen dicht an ihr vorbeilief.

Das war an und für sich nichts *besonders* Aufregendes; noch hielt es Alice für *besonders* unüblich, daß sie das Kaninchen vor sich hin murmeln hörte: »O weh! O weh! Ich komm zu spät!« (als sie es später bedachte, fiel ihr ein, daß sie sich doch darüber hätte wundern müssen, doch zu dieser Zeit schien ihr das alles selbstverständlich); aber als das Kaninchen tatsächlich *eine Uhr*

aus seiner Westentasche zog, sie konsultierte und dann weiter-
rannte, sprang Alice auf, denn blitzartig traf sie die Erkennt-
nis, daß sie noch nie ein Kaninchen mit einer Westentasche
gesehen hatte, das daraus auch noch eine Uhr zog, und bren-
nend vor Neugier flitzte sie über das Feld hinter ihm her und
sah gerade noch, wie es in einen großen Kaninchenbau unter
der Hecke sauste.

Auf der Stelle stürzte Alice hinterher, ohne zu bedenken,
wie um alles in der Welt sie wieder herauskommen würde.

Eine Weile verlief der Bau geradeaus wie ein Tunnel, und
dann fiel er urplötzlich ab, so plötzlich, daß Alice nicht einmal
daran denken konnte anzuhalten, bevor sie in einen sehr tiefen
Schacht stürzte.

Entweder war der Schacht sehr tief, oder sie fiel sehr langsam, denn sie hatte im Fallen hinreichend Zeit, sich umzusehen und sich zu fragen, was wohl als nächstes geschehen
würde. Zuerst versuchte sie hinabzublicken, um zu erfahren,
wo sie landen würde, aber außer Finsternis war nichts zu sehen, da betrachtete sie die Seiten des Schachtes und entdeckte
lauter Schränke und Bücherregale, hier und da sah sie auch
Landkarten und Bilder angehakt. Im Fluge nahm sie ein Ein-
machglas aus einem der Regale: Es war »ORANGENMAR-
MELADE« etikettiert, aber zu ihrer großen Enttäuschung
war es leer. Aus Furcht, jemanden unten zu erschlagen, wollte
sie das Glas nicht einfach fallen lassen, und so gelang es ihr, es
zurück in eines der Regale zu stellen, an denen sie entlang fiel.

»Wahrhaftig«, dachte Alice bei sich, »nach solch einem Fall
werde ich nichts mehr dabei finden, die Treppen hinunterzu-
stürzen. Für wie mutig werden sie mich zu Hause halten!
Nicht mal, wenn ich vom Dach fiele, würde ich mich darüber
beklagen!« (Womit sie wahrscheinlich recht hatte.)

Tief, tief, tief. Würde der Fall denn *niemals* enden? »Wie
viele Kilometer bin ich wohl inzwischen schon gefallen?«

fragte sie sich laut. »Ich muß wohl bald den Erdmittelpunkt erreicht haben. Mal sehen: das wären dann so ungefähr sechstausend Kilometer« – (denn, verstehst du, Alice hatte in ihren Unterrichtsstunden in der Schule verschiedenes gelernt, und obwohl das nun keine *sehr* gute Gelegenheit war, ihren Wissensstand zu beweisen, weil ihr niemand zuhörte, lag in der Schätzung dennoch eine gute Übung) – »ja, die Entfernung müßte in etwa stimmen – aber wissen möchte ich doch, bis zu welchem Längen- und Breitengrad ich schon gelangt bin?« (Von Längen- oder Breitengraden hatte Alice nicht die blasseste Ahnung, aber sie schätzte diese langen Fachausdrücke wegen der Schönheit ihres Klanges.)

Also überlegte sie weiter: »Ich möchte gern wissen, ob ich direkt *durch* die Erde falle! Das wird ja ein Spaß, wenn ich unter lauter Leuten auftauche, die mit dem Kopf nach unten gehen! ›Antipaten‹ nennt man sie, glaube ich« – (und diesmal war sie ziemlich froh, daß ihr *bestimmt* keiner zuhörte, denn das klang überhaupt nicht nach dem richtigen Wort) – »aber ich muß mich unbedingt nach dem Namen des Landes erkundigen. Bitte, meine Dame, ist dies vielleicht Neuseeland? Oder Australien?« (Und dabei versuchte sie einen Knicks – versuch mal einen Knicks, während du durch die Luft fliegst! Meinst du, du könntest das schaffen?) »Nach dieser Frage wird sie mich für ein dummes kleines Mädchen halten! Nein, ich werde besser nicht fragen; vielleicht finde ich es irgendwo angeschrieben.«

Tief, tief, tief. Da es nichts anderes zu tun gab, führte Alice bald schon wieder Selbstgespräche. »Dinah wird mich heute abend wohl sehr vermissen!« (Dinah war ihre Katze.) »Ich hoffe, sie denken an die Untertasse voll Milch zum Tee. Dinah, mein Liebling, ich wünschte, du wärst mit mir hier unten! Es gibt nur leider keine Mäuse in der Luft, aber du könntest eine Fledermaus fangen, das ist nämlich genauso gut.

Doch liebt die Katzzung Fledermaus-Atzung?« An der Stelle
wurde Alice ziemlich müde und murmelte verträumt vor sich
hin: »Liebt die Katzzung Fledermaus-Atzung? Liebt die
Katzzung Fledermaus-Atzung?« und dann auch: »Liebt die
Fledermaus Katzzung-Atzung?« Denn du mußt berücksichti-
gen, da sie ohnehin keine der Fragen beantworten konnte, war
die Fragestellung gleichgültig. Sie registrierte noch, wie sie
einschlief, und träumte gerade, wie sie Hand in Hand mit Dinah spazierenging und sie feierlich zur Rede stellte: »Also, Dinah, raus mit der Sprache: Hast du jemals an Fledermäusen
genascht?« als sie plötzlich bumm! krach! auf einem Haufen
mit Stöcken und Laub landete, und der Sturz war ausgestan-
den.

Alice war kein bißchen verletzt, und sie sprang auch sogleich wieder auf. Ein Blick nach oben zeigte ihr nur Dunkelheit; vor ihr befand sich ein weiterer langer Tunnel, und sie
sah das weiße Kaninchen davonflitzen. Da gab es keinen Augenblick zu verlieren – wie der Wind raste Alice hinterher,
und bevor es um eine Ecke verschwand, hörte sie noch die
Klage: »Rüben und Rotkohl, schon so spät!« Sie befand sich
dicht hinter ihm, doch als sie um die Ecke bog, war das Kaninchen verschwunden; sie fand sich in einem langen, niedrigen
Saal wieder, der von einer Reihe hängender Lampen erleuch-
tet war.

Rundherum waren Türen, doch sie waren alle verschlossen; und nachdem Alice zuerst an der einen, dann an der anderen Seite vergeblich an jeder Tür gerüttelt hatte, ging sie
traurig durch die Mitte und grübelte, wie um alles in der Welt
sie hier wieder herauskommen sollte.

Plötzlich stieß sie auf ein kleines dreibeiniges Tischchen,
ganz aus festem Glas: Einzig ein winziges goldenes Schlüsselchen lag darauf, und Alices erster Gedanke war, das könne zu
einer der Türen in der Halle gehören; aber o weh! entweder

waren die Schlüssellöcher zu groß oder der Schlüssel zu klein, jedenfalls ließ sich keine damit öffnen. Bei ihrer zweiten Runde kam sie an einem niedrigen Vorhang vorbei, den sie bis dahin übersehen hatte, und dahinter befand sich eine winzige Tür von etwas über einem Fuß Höhe: Sie steckte das goldene Schlüsselchen ins Loch, und zu ihrer großen Freude paßte es!

Alice öffnete die Tür und sah in einen engen Gang, nicht breiter als ein Mauseloch. Sie kniete nieder, und durch den Gang konnte sie in den wunderschönsten Garten sehen, den du dir nur ausdenken kannst. Wie sehnte sie sich danach, aus dem dunklen Saal herauszukommen und zwischen diesen leuchtenden Blumenbeeten und diesen erfrischenden Springbrunnen herumzuspazieren, aber sie konnte nicht einmal ihren Kopf durch die Türöffnung zwängen: »Und wenn ich meinen Kopf durch*bekäme*«, überlegte die arme Alice, »so wäre das ohne meine Schultern wenig sinnvoll. Oh, wie wünschte ich mir doch, ich könnte mich wie ein Teleskop zusammenschieben! Ich könnte das ganz bestimmt, wenn ich wüßte, wo ich anzufangen hätte.« Denn, verstehst du, in der letzten Zeit waren so viele Merkwürdigkeiten geschehen, daß Alice inzwischen der Meinung war, nur ganz weniges sei überhaupt noch unmöglich.

Da das Warten vor der Tür sinnlos schien, ging sie zurück an den Tisch, halb in der Hoffnung, einen weiteren Schlüssel darauf zu finden oder wenigstens ein Buch mit dem Rezept, Menschen wie ein Teleskop zusammenzuschieben. Diesmal fand sie eine Flasche (»die ganz bestimmt vorher noch nicht dagewesen war«, bekräftigte Alice), und auf einem Zettel am Flaschenhals stand in schönen großen Druckbuchstaben geschrieben: »TRINK MICH«.

»TRINK MICH«, das war leicht gesagt, doch die kluge kleine Alice wollte dem lieber nicht unverzüglich gehorchen. »Nein, zuerst will ich einmal nachsehen, ob es das Etikett

›*Gift*‹ trägt oder nicht«; denn sie hatte verschiedene Geschichten über Kinder gelesen, die sich verbrannt hatten, von wil-
den Tieren aufgefressen worden waren und dergleichen Un-
annehmlichkeiten, nur weil sie die einfachen Ratschläge
freundlicher Erwachsener nicht beherzigt hatten – als da wären, daß ein rotglühender Schürhaken einem die Hand ver-
brennt, wenn man ihn zu lange hält; oder aber, daß ein Finger
normalerweise blutet, wenn man sich *sehr* tief hineinschneidet;
und so hatte sie sich auch tief eingeprägt, wenn man einen ge-
hörigen Schluck aus einer ›*Gift*‹ etikettierten Flasche nimmt,
wird einem das mit ziemlicher Sicherheit früher oder später
nicht bekommen.

Jedoch auf dieser Flasche stand nichts von ›*Gift*‹, so wagte
Alice eine Kostprobe, und da sie es mochte (tatsächlich
schmeckte es nach einem Gemisch von Kirschtörtchen, Va-
nillesoße, Ananas, Putenbraten, Karamelbonbon und frisch
getoastetem Brot), hatte sie es sehr bald ausgetrunken.

$$* \qquad * \qquad * \qquad * \qquad *$$
$$* \qquad * \qquad * \qquad *$$
$$* \qquad * \qquad * \qquad * \qquad *$$

»Was für ein komisches Gefühl!« wunderte sich Alice. »Ich
schiebe mich wohl wie ein Teleskop zusammen!«

Und so geschah es: Sie war nun weniger als dreißig Zentimeter groß, und sie freute sich bei dem Gedanken, daß sie nun
die rechte Gestalt hatte, um durch die kleine Tür in den wun-
derhübschen Garten zu gehen. Zuerst wartete sie allerdings
noch ein wenig, um festzustellen, ob sie noch weiter schrump-
fen würde. Davor ängstigte sie sich doch etwas: »Denn es
könnte ja damit enden«, grübelte Alice, »daß ich schließlich
völlig verschwinde wie eine Kerze. Wie würde ich dann wohl
aussehen?« Und sie versuchte sich vorzustellen, wie eine

Flamme aussieht, nachdem die Kerze ausgeblasen worden ist, denn sie konnte sich nicht entsinnen, jemals so etwas gesehen zu haben.

Da nach einer Weile nichts weiter mit ihr geschah, beschloß sie, auf der Stelle in den Garten zu gehen; aber oh Schreck, arme Alice! an der Tür fiel ihr ein, daß sie das goldene Schlüsselchen vergessen hatte, und als sie zum Tisch zurückging, konnte sie es eindeutig nicht mehr erreichen. Durch das Glas konnte sie es ganz deutlich sehen, und so sehr sie sich auch mühte, an einem der Tischbeine hochzuklettern, es war zu glatt; und als die zahlreichen Versuche sie schließlich ermüdet hatten, setzte sich die arme Kleine hin und weinte.

»Nur die Ruhe, es ist sinnlos, so zu weinen!« wies sich Alice schließlich scharf zurecht. »Hör auf der Stelle damit auf, ich rate dir gut!« Im allgemeinen gab sie sich selbst sehr gute Ratschläge (wenn sie sie auch äußerst selten befolgte), und manchmal schimpfte sie sich auch derart unerbittlich, daß ihr die Tränen kamen; ja, einmal hatte sie sogar den Versuch unternommen, sich selbst eine Backpfeife zu geben, weil sie sich selbst beim Krocketspiel bemogelt hatte; denn dieses seltsame Kind liebte es, sich vorzustellen, sie wäre zwei. »Aber jetzt ist es völlig sinnlos«, überlegte die arme Alice, »sich vorzustellen, zwei zu sein! Es ist ja fast nicht mal genug übrig für *einen* anständigen Menschen!«

Sogleich fiel ihr Blick auf einen kleinen Glasbehälter, der unter dem Tisch stand: sie öffnete ihn und fand darin einen kleinen Kuchen, worauf in Schönschrift mit Korinthen die Worte »ISS MICH« geschrieben waren. »Na ja, ich kann ihn ja mal essen«, meinte Alice, »und wenn ich dadurch wachse, kann ich den Schlüssel erreichen; wenn ich aber kleiner werde, dann krieche ich einfach unter der Türe durch: in den Garten komme ich auf jeden Fall, egal in welche Richtung ich wachse!«

Sie aß ein wenig und fragte sich ängstlich: »Wohin? Wohin?«, wobei sie die Hand auf den Kopf legte, um herauszu-
kriegen, wohin sie wuchs; und sie war schon ziemlich überrascht, daß ihre Gestalt sich nicht veränderte. Gewiß verhält
es sich so im allgemeinen, wenn man Kuchen ißt; doch Alice
hatte sich so sehr an das Außerordentliche gewöhnt, daß ihr
die Normalität fade und dumm erschien.

So machte sie sich ans Werk, und schon bald war der Kuchen gegessen.

       *   *   *   *   *

          *   *   *   *

       *   *   *   *   *

II. KAPITEL

Die Tränenlache

»Kuriöser und noch kuriöser!« schrie Alice (sie war derart überrascht, daß sie für einen Augenblick die Regeln einer korrekten Steigerung völlig vergessen hatte). »Jetzt dehne ich mich zu dem größten Teleskop aus, das die Welt jemals gesehen hat! Lebt wohl, meine Füße!« (Denn als sie zu ihren Füßen hinunterblickte, waren die fast außer Sicht, so weit waren sie weg.) »Oh, meine armen Füßchen, ich frage mich, wer soll euch nun eure Schuhe und Strümpfe anziehen? *Ich* kann es nämlich wirklich nicht mehr! Ich bin viel zu weit weg, um mich noch um euch zu kümmern. Ihr müßt also allein zurechtkommen – aber ich muß nett zu ihnen sein«, überlegte Alice, »sonst wollen sie vielleicht nicht mehr dahin gehen, wo ich will. Ich schenke ihnen jede Weihnachten ein neues Paar Stiefel.«

Und dann stellte sie sich vor, wie sie das anstellen wollte. »Ich muß sie durch einen Boten schicken lassen«, grübelte sie, »das wird ganz schön komisch sein, Geschenke an seine eigenen Füße zu schicken! Und wie verrückt wird sich die Adresse lesen!

An seine Hochwohlgeboren Alicens Rechter Fuß
Kaminvorleger
    nahe dem Kamingitter
        (Mit besten Grüßen von Alice).

Kreuzgüte, was rede ich für einen Unsinn!«

Gerade da stieß ihr Kopf gegen die Saaldecke: Sie war nun
tatsächlich über drei Meter groß, und im Nu nahm sie das goldene Schlüsselchen und hastete zur Gartentür.

Arme Alice! Sie konnte sich nur auf die Seite legen und mit
einem Auge in den Garten gucken; aber hinauszugehen war
noch unmöglicher als zuvor; sie setzte sich hin und weinte aufs
neue.

»Du solltest dich etwas schämen«, sagte Alice, »ein großes
Mädchen wie du« (und das konnte sie sehr wohl von sich behaupten) »und weint so! Hör sofort auf, ich sag es dir!« Aber
sie fuhr damit fort und vergoß literweise Tränen, bis sich um
sie eine ausgedehnte Lache von etwa zehn Zentimetern Tiefe
gebildet hatte, die den halben Saal einnahm.

Nach einer Weile vernahm sie ein leichtes Fußgetrappel in
der Ferne, und sie trocknete sich hastig die Tränen, um zu sehen, wer da kam. Es war das weiße Kaninchen, das im Festge-
wand zurückkehrte, mit weißen Glacéhandschuhen in der einen und einem Fächer in der anderen Hand: so kam es in großer Eile angehoppelt und murmelte vor sich hin, »O jemine!
Die Herzogin, die Herzogin! O jemine! *Wird* die wüten, wenn
ich sie warten lasse!« Alice war so verzweifelt, daß sie jeden
um Hilfe anzuflehen bereit war: und als das Kaninchen näher gekommen war, begann sie leise und schüchtern: »Darf
ich Sie bitten, mein Herr –« Das Kaninchen bekam einen ge-
waltigen Schrecken, ließ die weißen Glacéhandschuhe und
den Fächer fallen und flitzte in die Dunkelheit zurück, so
schnell sie konnte.

Alice hob den Fächer und die Handschuhe auf, und da es im Saal sehr warm war, fächelte sie sich und stellte fest: »Liebe Güte! Heute ist aber auch alles verrückt! Und dabei war gestern alles so normal. Ob ich über Nacht etwa vertauscht worden bin? Mal überlegen: *War* ich heute morgen noch dieselbe, als ich aufgestanden bin? Ich glaube fast, mich daran zu erinnern, daß ich mich ein wenig anders gefühlt habe. Aber wenn ich nun nicht mehr dieselbe bin, so folgt daraus die Frage: Wer um alles in der Welt bin ich? Ach, *das* ist die große Frage!« Und sie ließ sich alle ihr bekannten Kinder durch den Kopf gehen, die gleichaltrig waren, und überlegte, ob sie eines von ihnen geworden war.

»Ich bin ganz bestimmt nicht Ada«, sagte sie, »denn sie trägt lange Locken, und mein Haar hat überhaupt keine Locken; und ich kann auch nicht Mabel sein, denn dazu weiß ich zu viel, und die, o je, die weiß ja *so* wenig! Außerdem ist *sie* ja sie, und *ich* bin ich, und – ach du grüne Neune, wie ist das doch alles verwirrend! Ich will mal sehen, ob ich noch alles weiß, was ich wußte. Nun denn: Vier mal fünf ist zwölf, vier mal sechs ist dreizehn, vier mal sieben ist – ach du liebe Güte, auf die Weise komme ich ja nie bis zwanzig. Aber das Einmaleins besagt ja noch nichts; wollen wir es mal mit Geographie versuchen. London ist die Hauptstadt von Paris, und Paris ist die Hauptstadt von Rom, und Rom ist – nein, *das* ist *bestimmt* ganz falsch! Ich muß mich in Mabel verwandelt haben! Ich versuche es mit dem Verschen ›Eia popeia‹ –« und sie kreuzte die Hände im Schoß wie im Unterricht und sagte es auf, aber ihre Stimme klang heiser und fremd, und das waren nicht dieselben Worte wie sonst:

> *»Eia popeia*
> *Was rasselt im Stroh?*
> *Das sind die lieben Schlänglein,*

Geflohn aus dem Zoo;
Der Schuster sucht Leder
Das hat der Pierrot,
Kann den lieben Schlänglein
So machen kein Schuh.«

»Das sind bestimmt nicht die richtigen Worte«, sagte die arme Alice, und ihre Augen füllten sich abermals mit Tränen, als sie feststellte: »Dann bin ich also doch Mabel, und jetzt muß ich in dieser Bruchbude wohnen, hab kaum Spielsachen, und oh je, was werde ich alles noch lernen müssen. Nein, da kenne ich keine Rücksicht: Wenn ich Mabel bin, dann bleibe ich hier unten. Und sollen sie ruhig die Köpfe herunterstecken und sagen: ›Komm doch nach oben, Liebes!‹ Dann gucke ich hoch und frage: ›Wer bin ich denn dann? Sagt mir das zuerst, und wenn ich das gern bin, komme ich rauf: und wenn nicht, dann bleibe ich hier unten, bis ich jemand anderer bin‹, aber – ach herrje!« schrie Alice und bekam einen Weinkrampf, »ich wünschte, sie *würden* die Köpfe herunterstecken! Ich bin das Alleinsein *so* leid!«

Dabei betrachtete sie ihre Hände und stellte erstaunt fest, daß sie inzwischen eines von des Kaninchens weißen Glacéhandschuhen angezogen hatte. »Wie *habe* ich das bloß geschafft?« dachte sie. »Ich muß wohl wieder geschrumpft sein.« Sie stand auf und ging zum Tisch, um sich zu messen, und erkannte, wie sie sich schon gedacht hatte, daß sie nun etwa sechzig Zentimeter groß war und immer noch kleiner wurde; bald erkannte sie, daß der Fächer in ihrer Hand daran schuld war, und sie ließ ihn hastig fallen, gerade noch rechtzeitig, bevor sie völlig verschwunden war.

»Das *war* aber knapp!« seufzte Alice, von dem plötzlichen Wechsel ganz schön erschrocken, aber gleichzeitig auch froh, daß sie überhaupt noch existierte. »Und nun in den Garten!«

Und sie flitzte zu der kleinen Tür; aber, o Schreck! die kleine
Tür war wieder verschlossen, und das goldene Schlüsselchen
lag auf dem Glastisch wie zuvor. »Und alles ist schlimmer als
vorher«, dachte das arme Kind, »denn nie, niemals war ich so
klein wie jetzt! Das ist wirklich zu schlimm, ja, das ist es!«

Bei diesen Worten rutschte sie aus und platsch! im nächsten
Augenblick stand ihr das Salzwasser bis zum Hals. Zuerst
dachte sie, sie sei in irgendein Meer gefallen, »und in dem Fall
fahre ich mit der Eisenbahn zurück«, sagte sie zu sich. (Alice
war schon einmal am Meer gewesen und hatte als charakteri-
stisch erkannt, daß man überall an der Küste eine Anzahl Ba-
dekarren, mit Holzspaten im Sand spielende Kinder, eine
Reihe Pensionen und dahinter einen Bahnhof findet.) Dann
jedoch merkte sie, daß sie in ihrer eigenen Tränenlache
schwamm, die sie geweint hatte, als sie drei Meter groß gewesen war.

»Hätte ich doch nicht so viel geweint!« sagte Alice, während sie herumschwamm, um aus dem Wasser zu kommen.
»Als Strafe dafür soll ich jetzt wohl in meinen eigenen Tränen
ertrinken! Wenn das nicht merkwürdig ist! Aber heute ist ja
alles merkwürdig.«

Da hörte sie, wie ein Stück entfernt etwas in der Lache her-
umplatschte, und sie schwamm näher, um es in Augenschein
zu nehmen: zuerst dachte sie, es sei ein Walroß oder Fluß-
pferd, doch dann fiel ihr ein, wie klein sie jetzt war, und bald
erkannte sie, daß es sich lediglich um eine Maus handelte, die
ebenfalls hineingefallen war.

»Wäre es wohl sinnvoll«, dachte Alice, »diese Maus anzu-
sprechen? Hier unten ist alles so außer der Reihe, daß ich es
für möglich halte, sie kann sprechen; jedenfalls kann es nichts
schaden.« So fing sie an: »O Maus, kennst du den Weg aus der
Lache? Denn ich mag nicht länger hier herumschwimmen, o
Maus.« (Alice schien das die passendste Anrede für eine

Maus – zwar war sie noch nie in die Verlegenheit gekommen, aber sie erinnerte sich, in der lateinischen Grammatik ihres Bruders gelesen zu haben, »eine Maus – einer Maus – einer Maus – eine Maus – o Maus!« Die Maus fixierte sie und schien ihr mit einem Äuglein zuzuzwinkern, aber sie sagte nichts.

»Vielleicht versteht sie kein Englisch«, dachte Alice. »Vermutlich ist sie eine französische Maus, die mit William dem Eroberer herübergekommen ist.« (Denn trotz all ihrer Geschichtskenntnisse hatte Alice nur eine unklare Vorstellung, wie lange so etwas zurücklag.) So sagte sie also diesmal: »Où est ma chatte?«, was der erste Satz in ihrem Französischbuch war. Die Maus machte plötzlich einen Hupf im Wasser und zitterte vor Angst am ganzen Leib. »Oh, ich bitte um Verzeihung!« rief Alice hastig, da sie fürchtete, das arme Tier gekränkt zu haben. »Ich habe völlig vergessen, daß du keine Katzen magst.«

»Keine Katzen magst!« rief die Maus schrill. »Würdest *du* sie an meiner Stelle mögen?«

»Na ja, wahrscheinlich nicht«, gab Alice zu, »nimm mir das nicht krumm. Und doch wünschte ich, ich könnte dir unsere Katze Dinah zeigen. Denn du würdest Katzen geradezu lieben, wenn du sie sehen würdest. Sie ist ein so liebes Ding«, sagte Alice, halb im Selbstgespräch, und paddelte gemächlich in der Lache herum, »und dann sitzt sie schnurrend am Feuer, leckt die Pfoten und putzt sich – und sie ist so schön weich zu streicheln – und sie ist so ein As beim Mäusefangen – oh, ich bitte um Verzeihung!« rief Alice abermals, denn diesmal standen der Maus die Haare zu Berge, und Alice war sicher, daß sie diesmal wirklich beleidigt war. »Sprechen wir nicht mehr von ihr, wenn dir das lieber ist.«

»*Wir* – also da soll doch gleich...« schrie die Maus und zitterte bis in die Schwanzspitze. »Als ob *ich* über so ein Thema sprechen würde! Seit Generationen *hassen* wir die Katzen,

diese häßlichen, gemeinen, vulgären Biester! Ich will nicht
einmal den Namen mehr von dir hören!«

»Das sollst du auch nicht!« versicherte Alice und wechselte
schleunigst das Thema. »Magst du – magst du – vielleicht –
vielleicht Hunde?« Da die Maus nicht antwortete, fuhr Alice
eifrig fort: »Bei uns in der Nähe lebt ein liebes Hündchen, das
würde ich dir gern mal zeigen! Ein kleiner Terrier mit leuchtenden Augen, und er hat ganz langes, braungekringeltes Fell!
Und er kann apportieren, was man wegwirft, und er macht
Männchen und bettelt um Essen und all so was – ich kann
mich gar nicht mehr an alles erinnern –, und er gehört einem
Bauern, weißt du, und der sagt, er sei so nützlich, daß er eine
Menge Geld wert ist! Und daß er alle Ratten tötet und – o jemine!« rief Alice bekümmert. »Ich fürchte, ich habe sie schon
wieder beleidigt!« Denn die Maus schwamm schleunigst davon und verursachte in der Lache einen ziemlichen Wellen-
gang.

Alice rief ihr noch nach: »Liebe Maus! Komm wieder zurück, und wir reden nicht mehr von Katzen oder Hunden,
wenn du nicht magst!« Als die Maus das hörte, kehrte sie um
und schwamm langsam zu ihr zurück; ihr Gesicht war ganz
bleich (vor Angst, dachte Alice), und sie sagte leise mit zitternder Stimme: »Wir wollen ans Ufer gehen, da halten wir
ein Schwätzchen, und ich erzähle dir, warum ich Katzen und
Hunde hasse.«

Es war höchste Zeit zu verschwinden, denn die Lache war
völlig überfüllt mit Vierbeinern und Vögeln, die hineingefallen waren: da waren eine Ente, ein Dodo, ein Lori, ein Jungad-
ler und verschiedene andere kuriose Kreaturen. Alice
schwamm voraus und führte die ganze Gesellschaft ans Ufer.

III. KAPITEL

Ein Koalitionslauf und ein langes Schwätzchen

Es war wahrhaftig eine seltsame Gesellschaft, die sich da am Ufer eingefunden hatte – Vögel mit krausem Gefieder, Vierbeiner, deren Fell am Körper klebte, alle tropfnaß, mißmutig und hilflos.

Vordringlich war natürlich, trocken zu werden. Sie konferierten darüber, und nach kurzem wunderte sich Alice nicht mehr im mindesten darüber, daß sie sich zwanglos mit ihnen unterhalten konnte, als ob sie sie schon immer gekannt habe. Ja, sie hatte sogar eine ausführliche Diskussion mit dem Lori, der schließlich verärgert nur noch feststellte: »Ich bin älter als du und muß es also besser wissen.« Und das wollte Alice nicht zugeben, ohne das Alter des Lori zu wissen, und da der Lori sich entschieden weigerte, sein Alter anzugeben, war das Thema damit erledigt.

Schließlich rief die Maus, die scheinbar eine Sonderstellung unter ihnen einnahm: »Setzt euch alle hin und hört mir zu! Ich werde schon dafür sorgen, daß ihr trocken werdet!« Sie setzten sich sofort zitternd in weitem Kreis nieder, die Maus stand in der Mitte. Alice betrachtete sie bangend, denn sie hatte das sichere Gefühl, eine schlimme Erkältung zu bekommen, wenn sie nicht bald trokken würde.

»Ähem!« sagte die Maus gewichtig. »Alle bereit? Dies ist das trockendste, was mir bekannt ist. Ruhe, bitte! ›William

dem Eroberer, dessen Unternehmung in hoher Gunst des Papstes stand, ergaben sich bald schon die Engländer, die Führer brauchten und sich weitestgehend an Usurpation und Eroberung gewöhnt hatten. Edwin und Morcar, die Grafen von Mercia und Northumbria –‹«

»Puh!« sagte der Lori zitternd.

»Wie bitte?« sagte stirnrunzelnd, aber äußerst höflich die Maus. »Wolltest du etwas bemerken?«

»Ich nicht!« sagte der Lori hastig.

»Ich dachte schon«, sagte die Maus. »Ich fahre fort: ›Edwin und Morcar, die Grafen von Mercia und Northumbria, unterstützten ihn; und selbst Stigand, der patriotische Erzbischof von Canterbury, fand es ratsam –‹«

»*Was* fand er denn?« erkundigte sich die Ente.

»Er fand *es*«, entgegnete die Maus ziemlich grob, »du wirst doch wohl wissen, was ›es‹ ist.«

»Ich weiß sehr wohl, was ›es‹ ist, wenn *ich* es gefunden habe«, meinte die Ente, »es ist meist ein Frosch oder ein Wurm. Was hat aber der Erzbischof gefunden, das ist doch die Frage?«

Die Maus überging diese Frage und fuhr hastig fort: »›…fand es ratsam, mit Edgar Ateling zusammen William den Eroberer aufzusuchen und ihm die Krone anzutragen. William reagierte zuerst zurückhaltend darauf. Doch die Anmaßung seiner Normannen –‹ Wie fühlst du dich jetzt, meine Liebe?« wandte sich die Maus an Alice.

»So naß wie zuvor«, sagte Alice traurig, »das scheint mich kein bißchen getrocknet zu haben.«

»Unter diesen Umständen«, sagte der Dodo feierlich und erhob sich, »beantrage ich die Vertagung der Sitzung bis zur nächsten Petition mit wirksameren Remeduren –«

»Drück dich deutlich aus!« empfahl der Adler. »Ich kenne nicht mal die Hälfte dieser Wortriesen, und ich bin sicher, du kennst sie auch nicht!« Und dabei verbarg er seinen Schnabel, um sein Lächeln nicht zu zeigen; einige der Vögel kicherten vernehmlich.

»Ich wollte doch bloß sagen«, bemerkte der Dodo beleidigt, »daß ein Koalitionslauf uns am besten trocknen würde.«

»Was *ist* denn ein Koalitionslauf?« erkundigte sich Alice;

sie wollte das nicht etwa unbedingt wissen, aber der Dodo
hatte hier eine Pause gemacht, als erwarte er eine Reaktion,
und kein anderer schien geneigt, etwas zu sagen.

»Also«, meinte der Dodo, »am besten erklärt man es, indem
man es tut.« (Und falls du es selbst einmal an einem Winter-
tag versuchen willst, werde ich dir erklären, was der Dodo
tat.)

Zuerst markierte er eine Rennstrecke, eine Art Kreis (»auf
Genauigkeit kommt es dabei nicht an«, erläuterte er), und
dann wurden die Kämpen beliebig an der Rennstrecke pla-
ziert. Es gab kein Startzeichen »Eins, zwei, drei und los!«, sondern jeder begann zu laufen, wann es ihm beliebte und hörte
nach Gutdünken auf, so daß man nicht einfach entscheiden
konnte, wann das Rennen gelaufen war.

Nach einer halben Stunde Laufen jedoch, als sie völlig trokken waren, rief der Dodo plötzlich: »Das Rennen ist gelaufen!« und alle umringten ihn keuchend und fragten: »Aber
wer hat gewonnen?«

Die Frage konnte der Dodo nicht ohne eingehende Überle-
gungen beantworten, und er stand lange Zeit da, einen Finger
gegen die Stirn gepreßt (also in jener Position, in der man gewöhnlich Shakespeare abgebildet sieht), während alle schweigend warteten. Schließlich erklärte der Dodo: »*Jeder* hat gewonnen, und *alle* müssen Preise bekommen.«

»Aber wer stiftet denn die Preise?« fragten sie alle im Chor.

»Nun, *sie* natürlich«, sagte der Dodo und wies mit dem Finger auf Alice, und die ganze Gesellschaft umringte sie auf der
Stelle und schrie durcheinander: »Preise! Preise!«

Alice wußte nicht, was sie tun sollte, und in ihrer Verzweif-
lung steckte sie eine Hand in die Tasche und zog eine Dose
Konfekt hervor (die glücklicherweise nicht unter dem Salzwasser gelitten hatte) und reichte sie als Preis herum. Jeder
bekam genau ein Stück.

»Aber sie muß doch auch einen Preis bekommen«, verlangte die Maus.

»Natürlich«, erwiderte der Dodo gewichtig. »Was hast du sonst noch in der Tasche?« wandte er sich an Alice.

»Nur noch einen Fingerhut«, stellte Alice traurig fest.

»Gib ihn her«, befahl der Dodo.

Dann umringten sie sie abermals, während der Dodo den Fingerhut feierlich überreichte und sagte: »Wir bitten dich, diesen schönen Fingerhut entgegenzunehmen«; und am Ende dieser kurzen Rede brachen alle in Jubel aus.

Alice hielt die ganze Sache für äußerst absurd, aber sie zeigten so ernste Mienen, daß sie nicht zu lachen wagte; und da sie nichts zu sagen wußte, machte sie eine knappe Verbeugung und nahm den Fingerhut, wobei sie so feierlich wie möglich dreinblickte.

Als nächstes machte man sich an das Konfekt, was zu Lärm und Tumulten führte, weil die großen Vögel sich beklagten, sie schmeckten gar nichts, während die kleinen sich verschluckten, so daß man ihnen auf den Rücken klopfen mußte. Doch schließlich war auch das geschafft, und alle setzten sich wieder im Kreis zusammen und baten die Maus, ihnen noch mehr zu erzählen.

»Du hast mir versprochen, wir wollten ein Schwätzchen halten«, erinnerte Alice, »und du wolltest mir erzählen, warum du die beiden haßt – die K und den H«, fügte sie flüsternd hinzu, um die Maus nicht schon wieder zu kränken.

»Das wird ein langes und trauriges Schwätzchen«, sagte die Maus seufzend zu Alice.

»Bestimmt *ist* das ein langes Schwänzchen«, bestätigte Alice und betrachtete bewundernd den Mauseschwanz, »aber warum nennst du es traurig?« Und sie rätselte bei der Erzählung der Maus daran herum, so daß ihr Eindruck von dem Schwätzchen der folgende war:

"Haß sagte zur Maus, die er antraf im Haus 'Laß uns gehn vor's Gesetz: ich verklage dich jetzt. - Komm es gibt kein verzicht; denn wir gehn vor Gericht; Denn heut' morgen hab ich nichts zu tun. ~ Sprach die Maus zu dem Wicht, 'Solch ein Gang vor Gericht, Ohne Anwalt & Recht, ach das wäre doch schlecht.' 'Ich bin Anwalt & richt,' sagte da der Bösewicht: Hier gilt nur mein Gebot & dein Urteil ist: Tod.'"

»Du paßt nicht auf!« schimpfte die Maus Alice. »Woran denkst du?«

»Ich bitte um Verzeihung«, sagte Alice betreten, »aber die letzte Schwanzbiegung, das war wohl fünf?«

»Schlechte *Noten!*« schrie die Maus gekränkt.

»Knoten?« vermutete Alice, die immer hilfsbereit war, und blickte am Schwanz entlang. »Oh, soll ich dir beim Aufknüpfen helfen?«

»Was fällt dir ein«, sagte die Maus, stand auf und ging weg. »Ich lasse mich doch nicht von solch einem Unsinn beleidigen!«

»Das habe ich doch gar nicht gewollt!« entschuldigte sich die arme Alice. »Aber du bist ja so schnell beleidigt!«

Die Antwort der Maus bestand nur in einem Knurren.

»Bitte, komm doch zurück und beende deine Geschichte!« rief Alice hinter ihr her, und alle anderen stimmten ein: »Ja, bitte tu's!« Aber die Maus schüttelte nur unwillig den Kopf und ging noch schneller.

»Schade, daß sie nicht bleiben wollte!« seufzte der Lori, als sie außer Sicht war. Und eine alte Krabbe ergriff die Gelegenheit und ermahnte ihre Tochter: »Ach, mein Liebling! Lern daraus, niemals die Geduld zu verlieren!« »Sei doch still, Mami!« fuhr ihr die kleine Krabbe über den Mund. »Bei dir könnte ja selbst eine Auster die Geduld verlieren!«

»Ich wünschte wahrhaftig, unsere Dinah wäre jetzt hier!« meinte Alice, ohne sich an jemand bestimmten zu wenden. »*Die* hätte sie schnell zurückgeholt!«

»Und wer ist Dinah, falls die Frage erlaubt ist?« erkundigte sich der Lori.

Alice antwortete auf der Stelle, denn sie sprach nur zu gern über ihr Lieblingstier: »Dinah ist unsere Katze. Und sie ist beim Mäusefangen so ein As! Und ihr solltet sie erst einmal hinter den Vögeln herflitzen sehen! Also, die frißt einen kleinen Vogel in Null Komma nichts.«

Die Erklärung sorgte unter der Gesellschaft für erhebliche
Unruhe. Einige Vögel waren im Nu von der Bildfläche verschwunden; eine alte Nebelkrähe verhüllte sich sehr sorgsam
und bemerkte: »Ich muß jetzt wirklich nach Hause, die
Nachtluft bekommt meinen Bronchien nicht!« Und ein Kana-
rienvogel rief seinen Kindern mit zitternder Stimme zu: »Na
los, meine Lieben! Es ist höchste Zeit für euch, zu Bett zu gehen!« Unter verschiedenen Vorwänden verschwanden sie
alle, und bald schon war Alice allein.

»Ich wünschte bloß, ich hätte Dinah nicht erwähnt!« sagte
sie traurig zu sich. »Keiner hier unten scheint sie zu mögen,
und dabei ist sie doch die beste Katze auf der Welt! Oh, meine
liebe Dinah! Werde ich dich jemals wiedersehen?« Und da
fing Alice wieder an zu weinen, denn sie fühlte sich sehr einsam und deprimiert. Kurz darauf jedoch hörte sie wieder das
Trippeln kleiner Füße in der Ferne, und sie hielt erfreut Ausschau, da sie so halbwegs hoffte, die Maus habe ihre Meinung
geändert und sei zurückgekommen, um ihre Erzählung zu beenden.

IV. KAPITEL

Bill jetzt im Kamin

Es war das weiße Kaninchen, das langsam wieder zu-rückgetrottet kam und dabei besorgt umherblickte, als hätte es etwas verloren; und sie hörte, wie es vor sich hin murmelte: »Die Herzogin! Die Herzogin! Ach du meine Pfote! Bei Fell und Backenbart! Sie wird mich hinrichten lassen, so sicher wie Frettchen Frettchen sind! Wo hab ich sie *bloß* liegenlassen?« Augenblicklich erriet Alice, daß es nach dem Fächer und den weißen Glacéhandschuhen suchte, und freundlicherweise machte sie selbst Jagd darauf, aber sie waren nir-gendwo zu sehen – alles schien sich nach ihrem Bad in der Lache verändert zu haben, und der weitläufige Saal mit dem Glastisch und der kleinen Tür war gar nicht mehr da.

Sehr bald bemerkte das Kaninchen Alice, wie sie so herumsuchte, und schimpfte sie ärgerlich, »Also, Mary Ann, was *tust* du bloß hier? Fix nach Hause mit dir und hol mit ein Paar Handschuhe und einen Fächer! Aber hurtig!« Und Alice war so verdattert, daß sie auf der Stelle in die gewiesene Richtung rannte, ohne den Versuch zu machen, den Irrtum richtigzustellen.

»Es hält mich für sein Dienstmädchen«, sagte sie sich, während sie so dahineilte. »Wie überrascht wird es sein, wenn es herausfindet, wer ich bin! Aber ich hole ihm besser Fächer und Handschuhe – das heißt, wenn ich sie finden kann.« Unterdessen kam sie an ein hübsches Häuschen, an dessen Tür ein blankes Messingschild mit dem Namen »W. KANINCHEN« befestigt war. Ohne anzuklopfen, trat sie ein und lief rasch die Treppe hinauf, denn sie fürchtete, der echten Mary Ann zu begegnen und aus dem Haus geworfen zu werden, ehe sie Fächer und Handschuhe gefunden hatte.

»Wie komisch das doch ist«, sagte Alice bei sich, »einen Botengang für ein Kaninchen zu machen! Wahrscheinlich wird mich als nächstes Dinah losschicken!« Und gleich malte sie sich aus, wie das vor sich gehen würde: »›Fräulein Alice! Komm auf der Stelle her und mach dich zum Spazierengehen fertig!‹ ›Komme sofort, Fräulein! Aber ich muß noch vor dem Mauseloch Wache halten, bis Dinah zurückkommt, und aufpassen, daß die Maus nicht entwischt.‹ Ich kann mir nur nicht vorstellen«, fuhr Alice fort, »daß man Dinah lange im Haus dulden würde, wenn sie die Leute herumzukommandieren anfinge!«

Inzwischen war sie in ein sauberes Zimmerchen gelangt mit einem Tisch am Fenster und darauf (wie sie gehofft hatte) einem Fächer und zwei oder drei Paar winziger weißer Glacéhandschuhe; und sie wollte das Zimmer gerade mit dem Fächer und einem Paar Handschuhe verlassen, als ihr Blick auf ein Fläschchen fiel, das beim Spiegel stand. Diesmal war darauf kein Etikett mit den Worten »TRINK MICH«, aber trotzdem entkorkte sie es und führte es an die Lippen. »Bestimmt passiert wieder *irgendwas* Interessantes«, sagte sie zu sich, »wie immer, wenn ich etwas esse oder trinke: Also will ich mal sehen, welche Wirkung in dieser Flasche steckt. Hof-

fentlich werde ich dadurch wieder groß, denn ich bin es wahrhaftig leid, so als Winzling herumzulaufen!«

So geschah es tatsächlich, und zwar weit schneller, als sie gedacht hatte. Ehe sie noch die halbe Flasche geleert hatte, bemerkte sie, daß ihr Kopf an die Decke stieß, und sie mußte ihn einziehen, um sich nicht den Hals zu brechen. Hastig setzte sie die Flasche ab und stellte fest: »Das reicht völlig aus – ich hoffe, nicht noch weiter zu wachsen – ich passe nicht mal mehr durch die Tür – hätte ich bloß nicht so viel getrunken!«

Oh je! Für derartige Wünsche war es jetzt zu spät. Sie wuchs und wuchs, und sehr bald mußte sie sich auf den Boden knien; kurz darauf war nicht mal mehr Platz dafür, und sie versuchte, sich auf den Boden zu legen, wobei sie den Ellbogen gegen die Tür drückte und den anderen Arm um den Kopf legte. Doch sie wuchs immer noch, und als letzte Möglichkeit streckte sie einen Arm zum Fenster hinaus und einen Fuß in den Kamin und sagte: »Nun kann ich nichts mehr tun, was auch geschieht. Was *soll* bloß aus mir werden?«

Glücklicherweise hatte die Zauberflasche nun ihre volle Wirkung entfaltet, und sie wuchs nicht mehr; trotzdem war es sehr unbequem, und da sie keine Möglichkeit sah, aus dem Zimmer zu entkommen, fühlte sie sich begreiflicherweise ziemlich unglücklich.

»Zu Hause war es weit angenehmer«, dachte die arme Alice, »da wurde man nicht mal größer, mal kleiner und von Mäusen und Kaninchen herumkommandiert. Ich wünschte fast, ich wäre nicht in das Kaninchenloch gelaufen, und dennoch – und dennoch – diese Lebensweise ist ja ziemlich kurios. Was werde ich wohl *noch* alles hier erleben! Als ich früher Märchen gelesen habe, dachte ich immer, so was kann ja nie passieren, und nun stecke ich mitten in einem drin! Man sollte über mich ein Buch schreiben, ja, wahrhaftig! Und wenn ich groß bin, dann schreibe ich eines – aber ich bin ja jetzt schon

groß«, fügte sie seufzend hinzu, »*hier drinnen* kann ich jedenfalls nicht noch größer werden.«

»Aber dann«, dachte Alice, »werde ich ja niemals älter werden, als ich jetzt bin? Einerseits wäre das ja angenehm – nie
eine alte Frau zu sein – aber andererseits – immer nur lernen
müssen! Oh, *das* wär nichts für mich!«

»Oh, du närrische Alice!« gab sie sich selbst zur Antwort.
»Wie willst du hier drin überhaupt lernen? Wo kaum Platz für
dich selber ist, wie sollen da noch Lehrbücher hereinpassen!«

Und so fuhr sie fort, vertrat erst die eine Seite, dann die andere und führte alles in allem ein vollständiges Gespräch; doch
nach einigen Minuten vernahm sie draußen eine Stimme.

»Mary Ann! Mary Ann!« rief die Stimme. »Bring auf der
Stelle meine Handschuhe.« Dann trippelten Füße leise die
Treppe hoch. Alice wußte, daß es das Kaninchen war, das
nach ihr suchte, und sie zitterte, bis das Haus bebte, denn sie
hatte völlig vergessen, daß sie an die tausendmal so groß war
wie das Kaninchen, und es gar nicht zu fürchten brauchte.

Unterdessen war das Kaninchen an der Tür und wollte sie
öffnen; doch da die Tür nach innen aufging und Alices Ellbogen fest dagegendrückte, war die Anstrengung vergebens.
Alice hörte es sagen: »Dann lauf ich eben ums Haus herum
und steige zum Fenster hinein.«

»*Das* denkst du dir so!« sagte sich Alice und wartete, bis sie
das Kaninchen genau unter dem Fenster zu hören glaubte,
streckte plötzlich die Hand aus und schnappte zu. Sie bekam
zwar nichts zu fassen, aber aus einem kleinen Schrei, einem
Fall und dem Klirren von Glas schloß sie, daß es womöglich in
das Gurkenfrühbeet oder ähnliches gefallen war.

Als nächstes schrie eine ärgerliche Stimme – die des Kaninchens –: »Pat! Pat! Wo steckst du denn?« Und dann hörte sie
eine fremde Stimme. »Hier bin ich doch! Beim Apfelstechen,
Euer Ehren!«

»Apfelstechen, was soll denn das!« schimpfte das Kaninchen. »Komm lieber *hierher* und hilf mir raus!« (Noch mehr
Glas splitterte.)

»Nun sag mir mal, Pat, was ist das da im Fenster?«

»Gewißlich ein Arm, Euer Ehren!« (Er sprach es wie
»Ärrm« aus.)

»Ein Arm, du Narr! Wo hat man je einen so großen Arm gesehen? Der füllt ja das ganze Fenster aus!«

»Das ist schon richtig, Euer Ehren: Aber es ist trotz allem
ein Arm.«

»Also, da hat er jedenfalls nichts zu suchen; geh hin und
schaff ihn weg!«

Darauf war es lange still, und Alice vernahm nur noch dann
und wann ein Wispern; etwa: »Das will ich nicht, Euer Ehren,
ganz und gar nicht!« »Tu, was man dir sagt, du Feigling!«
Und schließlich streckte sie ihre Hand wieder aus und
schnappte zu. Diesmal ertönten *zwei* kleine Schreie, und noch
mehr Glas ging zu Bruch. »Wie viele Gurkenfrühbeete da her-
umstehen müssen!« dachte Alice. »Was werden sie wohl als
nächstes unternehmen! Wenn sie mich aus dem Fenster zie-
hen wollen, so wünschte ich nur, sie *könnten* es! Ich will schließlich nicht ewig hier hocken!«

Sie wartete eine Zeitlang, ohne noch etwas zu hören: endlich näherten sich rumpelnd kleine Wagenräder und Stimmengewirr, und sie vernahm: »Wo ist die andere Leiter? –
Also, ich sollte nur eine bringen. Bill hat die andere – Bill! Her
damit, Bursche! – Stell sie hier an der Ecke auf – Nein, bind sie
zusammen – sie reichen immer noch nicht hoch genug – Ach
was, das reicht aus. Sei nicht so ein Pedant – Hier, Bill, halt
dich am Seil fest – Hält denn das Dach? – Paß auf die lose
Dachpfanne auf – O weh, sie kommt runter! Kopf weg!« (lau-
tes Krachen) – »He, wer war das? – Höchstwahrscheinlich
Bill – Wer steigt in den Kamin hinab? – Nein, ich nicht. Tu

du's doch! – *Ich?* Wieso immer ich? – Bill soll hinabsteigen – Hör zu, Bill! Jetzt geht's in den Kamin, sagt der Herr!«

»Oh je, also soll Bill jetzt den Kamin hinabsteigen?« sagte Alice zu sich. »Die scheinen ja auch alles auf Bill abzuwälzen! Ich möchte um keinen Preis an Bills Stelle sein; der Kamin ist zwar sehr eng, aber ein wenig treten kann ich wohl doch noch!«

Sie zog den Fuß so weit wie möglich aus dem Kamin zurück und wartete, bis sie das kleine Tier hörte (sie hatte keine Ahnung, was es war), wie es dicht über ihr scharrte und kraxelte, und dann trat sie mit den Worten »Da kommt Bill!« kräftig zu und wartete, was nun passieren würde.

Als erstes vernahm sie ein mehrstimmiges »Da fliegt Bill!«, dann die Stimme des Kaninchens – »Fang ihn auf, du da bei der Hecke!«, dann Schweigen und darauf wieder Stimmengewirr – »Halt seinen Kopf hoch – Jetzt ein Schnäpschen – Vorsicht, daß er sich nicht verschluckt – Wie war's denn, alter Junge? Was war los? Erzähl doch schon!«

Schließlich keuchte eine schwache Piepsstimme (»Das ist Bill«, dachte Alice): »Also, ich weiß es eigentlich auch nicht – Nein, danke, es geht schon besser – ich bin noch viel zu verwirrt, um es zu erzählen – ich weiß nur, daß so etwas wie ein Springteufel auf mich zukam, und schon ging ich ab wie eine Rakete!«

»Das kann man wohl sagen, alter Junge!« stellten die übrigen fest.

»Wir müssen das Haus niederbrennen!« hörte sie das weiße Kaninchen vorschlagen, und Alice schrie so laut sie konnte: »Wenn ihr das macht, schicke ich euch Dinah auf den Hals!«

Sofort herrschte Totenstille, und Alice dachte bei sich: »Was werden sie wohl als nächstes unternehmen? Wenn sie nur ein bißchen Grips hätten, würden sie das Dach abdekken.« Nach ein, zwei Minuten eilten sie wieder geschäftig hin und her, und Alice hörte das Kaninchen sagen: »Eine Schubkarre wird erst einmal reichen.«

»Eine Schubkarre mit *was*?« grübelte Alice. Doch lange blieb sie nicht im Ungewissen, denn im nächsten Augenblick hagelte ein Schauer von Kieselsteinen durchs Fenster, und einige trafen sie am Kopf. »Dem werde ich einen Riegel vorschieben«, sagte sie zu sich und schrie laut: »Das solltet ihr

besser nicht noch einmal tun!« Woraufhin abermals Totenstille eintrat.

Überrascht registrierte Alice, daß die Kieselsteine sich auf dem Boden in kleine Kuchen verwandelten, und sie hatte eine glänzende Idee. »Wenn ich so einen Kuchen esse«, dachte sie, »wird das meine Größe bestimmt *irgendwie* verändern; und da ich kaum noch größer werden kann, werde ich vielleicht kleiner.«

So verschlang sie einen Kuchen und stellte zu ihrer Freude fest, daß sie auf der Stelle schrumpfte. Sobald sie klein genug war, um durch die Türe zu gehen, rannte sie aus dem Haus, vor dem eine große Schar kleiner Vierbeiner und Vögel wartete. Bill, die arme kleine Eidechse, stand in der Mitte und wurde von zwei Meerschweinchen gestützt, die ihm etwas aus einer Flasche einflößten. Bei Alices Auftritt schossen sie alle auf sie zu, aber sie rannte, so schnell sie konnte, davon und befand sich bald in einem dichten Wald in Sicherheit.

»Als allererstes«, sagte sich Alice, als sie durch den Wald spazierte, »muß ich wieder meine normale Größe annehmen; und als zweites muß ich den Weg in diesen wunderschönen Garten finden. Ja, das wird wohl am besten sein.«

Das klang ohne Zweifel ganz plausibel und logisch: Das einzige Problem bestand nur darin, daß sie nicht die geringste Vorstellung hatte, wie sie es anstellen sollte; und während sie ängstlich durch die Bäume spähte, ließ sie ein kurzes scharfes Kläffen über ihrem Kopf blitzschnell aufblicken.

Ein riesiger Welpe starrte aus großen runden Augen zu ihr hinunter, streckte behutsam eine Pfote aus und wollte sie anstupsen. »Na, du Kleiner!« sagte Alice schmeichelnd und versuchte mühsam, nach ihm zu pfeifen; aber tatsächlich hatte sie furchtbare Angst bei dem Gedanken, er könne hungrig sein, denn in diesem Fall schützten auch keine Schmeicheleien vor dem Gefressenwerden.

Fast ohne zu wissen, was sie tat, nahm sie ein Stöckchen auf und hielt es dem Welpen hin, worauf der Welpe mit allen Vieren in die Luft sprang, entzückt kläffte und auf den Stock zustürzte, um danach zu schnappen; Alice huschte hinter eine große Distel, um nicht umgerannt zu werden; und als sie an der anderen Seite wieder hervorkam, stürmte der Welpe abermals los und stürzte in seinem Eifer Hals über Kopf, um den Stock zu bekommen. In Alice wuchs das Gefühl, mit einem Karrengaul zu spielen, wobei sie jeden Augenblick damit rechnete, niedergetrampelt zu werden, und sie rannte abermals um die Distel herum; der Welpe ging immer wieder auf den Stock los, wobei er zwischendurch ein Stück fortlief, und kläffte die ganze Zeit über, bis er sich in einiger Entfernung niederließ, mit heraushängender Zunge erschöpft hechelte und die Augen halb schloß.

Dies schien Alice eine gute Gelegenheit zur Flucht; sie rannte unverzüglich los, bis sie ganz müde und außer Atem war und das Bellen des Welpen in der Ferne verklang.

»Trotzdem war es ein niedlicher kleiner Welpe!« sagte Alice, während sie sich, an eine Butterblume gelehnt, ausruhte und sich mit einem der Blätter Luft zufächelte. »Ich hätte ihn ja gern dressiert, wenn – wenn ich nur die richtige Größe dazu gehabt hätte! Ach du liebe Zeit! Ich habe fast schon vergessen, daß ich wieder wachsen muß! Also – wie soll ich das bloß anstellen? Ich sollte wohl irgendwas essen oder trinken; die große Frage ist nur – was?«

Was? Das war wirklich die große Frage. Alice musterte die Blumen und Gräser, aber nichts lud zum Essen oder Trinken ein. Neben ihr wuchs ein großer Pilz, etwa so hoch wie sie: und als sie ihn von unten überall betrachtet hatte, kam ihr in den Sinn, auch auf seinen Hut zu gucken.

So stellte sie sich auf Zehenspitzen, spähte über die Krempe und sah geradewegs in die Augen einer riesigen blauen

Raupe, die mit verschränkten Armen auf der Spitze saß, in aller Seelenruhe an einer langen Wasserpfeife sog und nicht die geringste Notiz von ihr oder etwas anderem nahm.

V. KAPITEL

Ratschlag einer Raupe

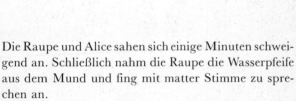

Die Raupe und Alice sahen sich einige Minuten schweigend an. Schließlich nahm die Raupe die Wasserpfeife aus dem Mund und fing mit matter Stimme zu sprechen an.

»Wer bist *du*?« erkundigte sich die Raupe.

Das war gerade keine ermutigende Einleitung für ein Gespräch. Ziemlich schüchtern antwortete Alice: »Ich – ich weiß es nicht so recht, mein Herr, wenigstens im Moment nicht – aber ich weiß, wer ich *war*, als ich heute morgen aufstand, doch ich muß mich seitdem verschiedene Male verwandelt haben.«

»Was meinst du damit?« sagte die Raupe streng. »Erkläre dich!«

»Das ist es ja; ich kann *mich* leider nicht erklären, mein Herr«, sagte Alice, »weil ich nicht ich selbst bin, sehen Sie!«

»Das sehe ich nicht«, stellte die Raupe fest.

»Ich kann es leider nicht näher erklären«, entgegnete Alice sehr höflich, »denn zum einen kann ich es selbst nicht verstehen, und zum anderen ist es ganz schön verwirrend, an einem Tag immer wieder die Größe zu verändern.«

»Stimmt nicht«, widersprach die Raupe.

»Also, vielleicht sehen Sie das noch nicht so«, sagte Alice, »aber wenn Sie sich erst verpuppen – was Sie eines Tages tun werden – und dann in einen Schmetterling verwandeln, dann werden Sie sich wohl auch ein wenig komisch fühlen?«

»Kein bißchen«, behauptete die Raupe.

»Nun, vielleicht mögen *Ihre* Gefühle da anders sein«, sagte Alice, »ich weiß nur, daß *ich* mich sehr komisch fühlen würde.«

»Du!« sagte die Raupe verächtlich. »Wer bist *du*?«

Womit sie wieder am Anfang ihres Gesprächs angelangt waren. Alice fühlte sich durch die *sehr* knappen Antworten der Raupe irritiert. Sie warf sich in die Brust und sagte sehr gewichtig: »Ich denke, Sie sollten mir zuerst einmal sagen, wer *Sie* sind.«

»Warum?« erkundigte sich die Raupe.

Das war schon wieder eine verwirrende Frage, und da Alice keinen guten Grund wußte, und die Raupe *sehr* ungehalten schien, ging sie weiter.

»Komm zurück!« rief die Raupe hinter ihr her. »Ich muß dir etwas Wichtiges sagen!«

Das klang allerdings vielversprechend. Alice machte kehrt und kam wieder zurück.

»Bewahre ruhig Blut«, sagte die Raupe.

»Ist das alles?« fragte Alice und schluckte mühsam ihren Ärger hinunter.

»Nein«, sagte die Raupe.

Alice dachte, sie könne ebensogut warten, da sie sonst nichts zu tun hatte, und vielleicht war ja doch noch etwas Wichtiges zu erfahren. Die Raupe paffte einige Minuten lang schweigend; aber schließlich breitete sie ihre Arme aus, nahm

die Pfeife wieder aus dem Mund und sagte: »Du glaubst also
wirklich, jemand anderer zu sein, wie?«

»Ich fürchte, ja, mein Herr«, sagte Alice, »ich kann mich
nämlich nicht mehr wie früher an alles erinnern – und nicht
mal für zehn Minuten behalte ich dieselbe Größe!«

»An *was* kannst du dich nicht erinnern?« sagte die Raupe.

»Also, ich wollte aufsagen ›Eia popeia, was raschelt im Stroh‹,
aber das kam ganz anders heraus!« antwortete Alice sehr
traurig.

»Sag mal auf ›*Willst du nicht...*‹«, schlug die Raupe vor.

Alice faltete die Hände und begann:

> »›*Willst du nicht das Zimmer hüten?*‹
> *Sprach der Sohn zum Vater sanft.*
> ›*Nähr dich doch von Traumes Blüten*
> *Knabbernd an des Brotes Ranft.*
> *Statt am Kopfe hier zu stehn,*
> *Wo dich alle Leute sehn!*‹
>
> ›*Sohn*‹, *sprach Vater,* ›*tat schon wippen*
> *Auf den Felsen, als ich jung;*
> *Schwebte so schon über Klippen,*
> *Wagte manchen schrägen Sprung.*
> *Doch jetzt hab ich's neu erwogen,*
> *Hab wohl überspannt den Bogen.*‹
>
> ›*Willst im Alter du denn bocken?*‹
> *Sprach der Sohn schon ziemlich bang.*
> ›*Du mußt doch am Boden hocken,*
> *Stimmen an der Greisen Sang*
> *Und nicht in die Stube gehn*
> *Salto rückwärts, wie geschehn.*‹

›Lang schon reib ich meinen Zinken‹,
Sprach der Alte mit Bedacht.
›Tu in Salbe fast versinken,
Fördert der Gelenke Macht.
Du wärst auch so auf der Höhe,
Hättest du der Salbe Nähe.‹

›Willst du nicht aufs Breilein warten?‹
Tat der Sohn den Vater flehn.
›Auch die Säfte deiner harten,
Willst du dazu übergehn.
Mußt du Gänse ganz vermessen
Gleich mit Fuß und Schnabel essen?‹

›Tat mit Jammers stummen Blicken‹,
Sagte da der harte Mann,
›Deine Mutter mich ersticken,
Doch das stärkte mich sodann.
Dieses ich zum Training wählte,
Welches meine Kiefer stählte.‹

Und der Knabe schüchtern fragte,
Was der Aal an diesem Ort
Auf der Nase wohl besagte?
›Und wie schaffest du den Tort?
Balancierst ihn überm Munde
Gerad' wie in der See die Hunde.‹

›Laß es ja dabei bewenden,
Daß du dreimal fragtest hier!‹
Sprach der Vater, ›doch jetzt enden
Muß die Rücksicht hier bei mir,
Denn so dumm auf dieser Erde
Fragt nicht mal 'ne Hammelherde!‹«

»Das ist aber nicht richtig«, stellte die Raupe fest.

»Nicht *ganz* richtig, fürchte ich«, sagte Alice kleinlaut. »Einige Worte haben sich verändert.«

»Es ist von Anfang bis Ende falsch«, sagte die Raupe unbarmherzig; und dann schwiegen sie für einige Minuten.

Die Raupe sprach als erste wieder.

»Wie groß möchtest du sein?« forschte sie.

»Oh, was das angeht, da bin ich nicht wählerisch«, antwortete Alice hastig, »es ist nur nicht angenehm, andauernd zu wechseln, wissen Sie.«

»Weiß ich *nicht*«, sagte die Raupe.

Alice sagte nichts mehr; nie zuvor in ihrem Leben war ihr so oft widersprochen worden, und allmählich riß ihr der Geduldsfaden.

»Bist du mit deiner jetzigen Größe zufrieden?« erkundigte sich die Raupe.

»Also, ein *wenig* größer würde ich schon gern sein, mein Herr, wenn es Ihnen nichts ausmacht«, meinte Alice, »fünf Zentimeter ist so eine erbärmliche Größe.«

»Das ist im Gegenteil eine recht stattliche Größe!« korrigierte die Raupe ärgerlich, wobei sie sich aufrichtete (sie maß genau fünf Zentimeter).

»Aber ich bin nicht daran gewöhnt!« verteidigte sich die arme Alice mit kläglicher Stimme. Und dabei dachte sie: »Wären diese Tiere doch bloß nicht so schnell beleidigt!«

»Mit der Zeit wirst du dich schon daran gewöhnen«, tröstete die Raupe und paffte wieder an der Pfeife.

Diesmal wartete Alice geduldig, bis sie gewillt war, das Gespräch fortzusetzen. Nach ein oder zwei Minuten nahm die Raupe die Pfeife aus dem Mund. Dann stieg sie vom Pilz herab, kroch durch das Gras davon und bemerkte dabei bloß noch: »Bei der einen Seite wächst du, bei der anderen Seite schrumpfst du.«

»Eine Seite *wovon?* Die andere Seite *wovon?*« dachte Alice bei sich.

»Vom Pilz«, erklärte die Raupe, gerade so, als habe Alice laut gefragt, und dann war sie verschwunden.

Eine Weile betrachtete Alice nachdenklich den Pilz und versuchte herauszubringen, wo denn eigentlich die Seiten wären; und da er vollkommen rund war, schien ihr das ein ziemlich kompliziertes Problem. Schließlich legte sie ihre Arme um ihn, soweit sie konnte, und brach mit jeder Hand ein Stück von der Ecke ab.

»Und was bewirkt nun was?« sagte sie sich und knabberte ein bißchen an dem Stück in ihrer Rechten, um die Wirkung zu testen. Im nächsten Augenblick bekam sie einen kräftigen Kinnhaken – ihr Fuß hatte das Kinn getroffen!

Durch diesen plötzlichen Wechsel war sie ziemlich erschrocken, aber sie hatte das Gefühl, keine Zeit verlieren zu dürfen, da sie rapide schrumpfte; so machte sie sich sofort daran, von dem anderen Stück abzubeißen. Ihr Kinn schmiegte sich so eng an ihren Fuß, daß sie den Mund kaum öffnen konnte; aber schließlich gelang es ihr, und sie schaffte es, ein Stückchen aus der linken Hand zu schlucken.

*   *   *   *   *

*   *   *   *

*   *   *   *   *

»Ach, endlich ist mein Kopf frei!« frohlockte Alice, doch im nächsten Augenblick bemerkte sie besorgt, daß sie ihre Schultern nirgendwo entdecken konnte: wenn sie an sich hinabblickte, konnte sie nur ihren enorm langen Hals sehen, der wie ein Pfahl aus dem grünen Blättermeer herauszuragen schien, das weit unter ihr lag.

»Was *ist* das bloß für ein grünes Zeug?« wunderte sich Alice. »Und wo *sind* bloß meine Schultern hingekommen? Und meine Hände, o weh, wieso kann ich euch nicht mehr sehen?« Und sie fuchtelte dabei mit ihnen herum, aber abgesehen von einem leichten Zittern unter den fernen Blättern schien das ergebnislos.

Da die Hände den Kopf wohl nicht mehr erreichen konnten, wollte sie wenigstens mit dem Kopf zu den *Händen* und stellte glücklich fest, daß sie ihren Hals wie eine Schlange leicht in jede Richtung biegen konnte. Gerade hatte sie ihn zu einer anmutigen Zickzacklinie nach unten gebogen und wollte in die Blätter eintauchen, die nichts anderes als die Baumwipfel waren, unter denen sie spazierengegangen war, als sie ein scharfes Zischen blitzschnell zurückfahren hieß: Eine große Taube war ihr ins Gesicht geflogen und schlug heftig mit den Schwingen nach ihr.

»Schlange!« schrie die Taube.

»Ich bin *keine* Schlange!« sagte Alice empört. »Laß mich in Ruhe!«

»Schlange, ich sag's noch einmal!« wiederholte die Taube, wenn auch nicht mehr so laut, und fügte schluchzend hinzu: »Ich habe alles versucht, aber.dagegen ist wohl kein Kraut gewachsen!«

»Ich weiß gar nicht, wovon du überhaupt sprichst«, sagte Alice.

»Ich habe es zwischen den Wurzeln versucht, ich habe es an den Böschungen versucht, und ich habe es in den Hecken versucht«, beklagte die Taube sich, ohne auf Alice einzugehen, »aber immer diese Schlangen! Man kann es ihnen nicht recht machen!«

Alices Verwirrung wuchs noch mehr, aber sie hielt weitere Bemerkungen für sinnlos, bis die Taube geendet hatte.

»Als hätte man mit dem Brutgeschäft nicht schon genug zu

tun«, klagte die Taube, »muß man jetzt auch noch Tag und Nacht nach Schlangen Ausschau halten. Nicht einmal eine Mütze voll Schlaf habe ich in den letzten drei Wochen gehabt!«

»Es tut mir sehr leid, daß man dich so gestört hat«, bedauerte Alice, die allmählich die Umstände durchschaute.

»Und gerade, als ich mir den höchsten Baum im Wald ausgeguckt hatte«, schimpfte die Taube weiter, und ihre Stimme ging allmählich in Gekreische über, »und gerade, als ich dachte, ich wäre endlich von ihnen befreit, ausgerechnet da müssen sie sich auch noch vom Himmel herabwinden! Pfui, du Schlange!«

»Aber ich bin *keine* Schlange, ich sag es doch!« meinte Alice. »Ich bin ein – ich bin ein –«

»Nun! *Was* bist du?« sagte die Taube. »Ich sehe es dir an der Nasenspitze an, du willst dir was ausdenken!«

»Ich – ich bin ein kleines Mädchen«, sagte Alice ziemlich unsicher, wobei sie an die zahlreichen Veränderungen dachte, die ihr an diesem Tage widerfahren waren.

»So siehst du auch aus!« höhnte die Taube. »Ich habe in meinem Leben schon eine ganze Reihe kleiner Mädchen gesehen, aber *keines* mit solch einem Hals! Nein, nein! Du bist eine Schlange; leugnen ist zwecklos. Als nächstes wirst du mir noch aufbinden, du hättest noch niemals ein Ei gegessen!«

»Natürlich *habe* ich schon Eier gegessen«, sagte Alice, denn sie war ein sehr ehrliches Kind, »aber kleine Mädchen essen ebenso Eier wie Schlangen.«

»Das kannst du mir nicht erzählen«, sagte die Taube, »aber sollte das dennoch stimmen, dann sind sie eben eine Schlangenart – und damit Punktum!«

Das war für Alice derart neu, daß sie ein oder zwei Minuten verstummte, was die Taube nutzte, um hinzuzufügen: »Daß du nach Eiern suchst, das ist mir nur zu gut bekannt; was spielt es da schon für eine Rolle, ob du nun ein kleines Mädchen oder eine Schlange bist?«

»Für *mich* spielt das sehr wohl eine Rolle«, warf Alice hastig ein, »aber zufällig bin ich nicht auf der Suche nach Eiern; und wenn doch, würde ich *deine* nicht wollen: Ich mag sie nicht roh.«

»Dann zieh Leine!« schmollte die Taube und hockte sich wieder ins Nest. Alice kroch, so gut sie konnte, durch die Bäume hinab, denn ihr Hals verfing sich zwischen den Ästen, und ab und zu mußte sie innehalten und ihn entwirren. Bald kam ihr in den Sinn, daß sie ja immer noch die Pilzstücke in den Händen hielt, und so knabberte sie denn erst an dem einen, dann an dem anderen, so daß sie einmal größer, einmal kleiner wurde, bis sie ihre normale Größe wieder erreicht hatte.

Es lag so lange zurück, daß sie auch nur annähernd ihre richtige Gestalt gehabt hatte, daß sie sich zuerst ganz merkwürdig fühlte; aber nach einer Weile hatte sie sich daran gewöhnt und führte wieder einmal Selbstgespräche. »Also, die eine Hälfte meines Planes ist damit geschafft! Wie diese Veränderungen einen doch verwirren! Ich weiß nie, was als nächstes noch aus mir wird! Jedenfalls habe ich meine richtige Größe wieder; als nächstes muß ich in den schönen Garten kommen – wie *kann* ich das bloß schaffen?« Unterdessen war sie zu einer Lichtung gekommen, auf der ein etwa eineinhalb Meter hohes Haus stand. »Wer immer auch hier wohnt«, dachte Alice, »es wird jedenfalls nicht gut sein, ihm in *dieser* Größe gegenüberzutreten: Ich fürchte, der wäre vor Angst ganz aus dem Häuschen!« So knabberte sie wieder einmal an dem Stück in der Rechten und wagte nicht, auf das Haus zuzugehen, bis sie auf zwanzig Zentimeter zusammengeschrumpft war.

VI. KAPITEL

Pfeffer und Ferkel

Ein, zwei Minuten stand sie da, musterte das Haus und überlegte den nächsten Schritt, als plötzlich ein livrierter Lakai aus dem Wald gelaufen kam – (sie hielt ihn wegen seiner Livree für einen Diener, wenn sie allerdings ausschließlich nach seinem Gesicht geurteilt hätte, wäre er als Fisch eingeschätzt worden) – und kräftig mit den Knöcheln an die Tür pochte. Ein weiterer livrierter Lakai mit rundem Gesicht und glotzigen Froschaugen öffnete; und beide trugen, wie Alice registrierte, eine gepuderte Allongeperücke. Neugierig, was das wohl zu bedeuten hatte, huschte Alice ein wenig näher, um sie zu belauschen.

Der Fisch-Lakai zog unter seinem Arm einen riesigen Brief hervor, der fast so groß wie er selbst war, und überreichte diesen feierlich mit den Worten: »Für die Herzogin. Eine Einladung von der Königin zum Krokketspiel.« Der Frosch-Lakai wiederholte, ebenso feierlich, die Worte in abgewandelter Form: »Von der Königin. Eine Einladung für die Herzogin zum Krocketspiel.«

Dann verbeugten sich beide so tief, daß sich ihre Locken verhedderten.

Alice mußte so sehr darüber lachen, daß sie, um nicht entdeckt zu werden, in den Wald zurücklaufen mußte; und als sie wieder herausspähte, war der Fisch-Lakai verschwunden und der andere saß nahe der Tür auf der Erde und starrte stumpfsinnig in den Himmel hinauf.

Schüchtern trat Alice an die Tür und klopfte.

»Klopfen hat überhaupt keinen Sinn«, bemerkte der Lakai, »und zwar aus zweierlei Gründen. Erstens bin ich mit dir auf derselben Seite der Tür. Zweitens machen die da drin solch einen Lärm, daß sie dich unmöglich hören können.« Und wirklich ertönte von drinnen ein ganz außerordentlicher Lärm – ein stetiges Heulen und Niesen und dann und wann ein Knall, als ginge eine Schüssel oder Kanne zu Bruch.

»Bitte«, sagte Alice, »wie soll ich dann hereinkommen?«

»Dein Klopfen hätte vielleicht einen Sinn«, fuhr der Lakai fort, ohne auf sie einzugehen, »wenn die Tür zwischen uns wäre. Wenn du zum Beispiel *drinnen* wärest, könntest du klopfen, und ich würde dich hinauslassen.« Dabei fixierte er die ganze Zeit über den Himmel, was Alice für reichlich unhöflich hielt. »Aber vielleicht kann er nicht anders«, sagte sie zu sich, »denn seine Augen sind so *weit* oben am Kopf. Aber er könnte wenigstens Antwort geben. – Wie soll ich dann hereinkommen?« wiederholte sie laut.

»Ich bleibe hier«, bemerkte der Lakai, »bis morgen sitzen –« Da öffnete sich die Haustür, und ein Suppenteller segelte direkt auf den Kopf des Lakaien zu, streifte ihn an der Nase und zerbarst an einem der Bäume hinter ihm.

»– oder vielleicht bis übermorgen«, setzte der Lakai ungerührt fort, als sei nichts geschehen.

»Wie soll ich dann hereinkommen?« fragte Alice noch etwas lauter.

»Sollst du *überhaupt* hineingehen?« sagte der Lakai. »Das ist doch wohl die erste Frage.«

Damit hatte er zweifellos recht; aber Alice schätzte keine derartige Belehrung. »Es ist zum Aus-der-Haut-fahren«, murmelte sie vor sich hin, »wie einem die Tiere hier widersprechen. Das ist wirklich zum Verrücktwerden!«

Der Lakai hielt das wohl für eine gute Gelegenheit, seine Bemerkung in Variationen zu wiederholen. »Ich werde hier von Zeit zu Zeit sitzen«, sagte er, »Tag für Tag.«

»Und was soll *ich* tun?« sagte Alice.

»Was du willst«, sagte der Lakai und begann zu pfeifen.

»Ach, ein Gespräch mit dem ist sinnlos«, sagte Alice verzweifelt, »der ist ja völlig verblödet!« Und sie öffnete die Tür und ging hinein.

Die Tür führte in eine riesige Küche, die ganz verraucht war. In der Mitte hockte die Herzogin auf einem dreibeinigen Schemel und hätschelte ein Baby; die Köchin stand über den Herd gebeugt und rührte in einem dickbauchigen Kessel herum, der wohl voller Suppe war.

»In der Suppe ist bestimmt zuviel Pfeffer!« sagte Alice sich, sobald sie das vor lauter Niesen konnte.

Bestimmt war davon zuviel in der Luft. Selbst die Herzogin nieste ab und an; und was das Baby betraf, das nieste und kreischte unablässig. Die einzigen beiden Wesen, die nicht niesten in dieser Küche, waren die Köchin und eine dicke Katze, die am Herd lag und von einem Ohr zum anderen grinste.

»Würden Sie mir wohl bitte sagen«, fragte Alice ein wenig schüchtern, denn sie war sich nicht ganz klar darüber, ob es für sie schicklich sei, zuerst das Wort zu ergreifen, »warum Ihre Katze so grinst?«

»Das ist eine Schmeichelkatze«, sagte die Herzogin, »drum. Du Ferkel!«

Das letzte stieß sie so vehement hervor, daß Alice ziemlich zusammenzuckte; doch sie erkannte sogleich, daß damit das Baby gemeint war, also faßte sie wieder Mut und fuhr fort:

»Ich wußte gar nicht, daß Schmeichelkatzen immer grinsen; tatsächlich wußte ich nicht einmal, daß Katzen *überhaupt* grinsen können.«

»Alle können das«, sagte die Herzogin, »und die meisten tun's.«

»Das habe ich aber noch bei keiner gesehen«, sagte Alice äußerst höflich und war sehr froh, ein Gespräch angeknüpft zu haben.

»Dann weißt du nicht viel«, meinte die Herzogin, »Punktum!«

Den Unterton dabei mochte Alice ganz und gar nicht, und sie dachte daran, ein anderes Thema anzufangen. Während sie noch nach etwas Geeignetem suchte, nahm die Köchin den Suppenkessel vom Feuer und begann damit, alles in ihrer Reichweite Befindliche nach der Herzogin und dem Baby zu werfen – zuerst die Schüreisen; dann folgte ein Hagelschlag von Tiegeln, Tellern und Tassen. Die Herzogin nahm davon, selbst als sie getroffen wurde, keine Notiz; und das Baby kreischte ohnehin so laut, daß eine Entscheidung darüber, ob es nun getroffen worden war oder nicht, unmöglich war.

»Oh, bitte, passen Sie doch auf, was Sie tun!« schrie Alice und sprang entsetzt auf und ab. »Oh, weg ist sein hübsches Näschen!« als ein ungewöhnlich großer Tiegel dicht daran vorbeiflog und es beinahe abgerissen hätte.

»Wenn keiner seine Nase in anderer Leute Angelegenheiten stecken würde«, brummelte die Herzogin, »würde sich die Erde wohl ein gutes Stück schneller drehen.«

»Was *kein* Vorteil wäre«, widersprach Alice, die sehr froh über die Chance war, ein bißchen mt ihrem Wissen anzugeben. »Bedenkt doch nur, was das für Probleme mit Tag und

Nacht gäbe! Die Erde braucht nämlich vierundzwanzig Stunden für die Drehung um die eigene Achs –«

»Ja, das ist es; hol die Axt«, rief die Herzogin, »und schlag ihr den Kopf ab!«

Alice warf der Köchin einen ziemlich besorgten Blick zu, ob sie den Befehl ausführte; aber die war mit dem Umrühren der Suppe beschäftigt und schien nicht zuzuhören, so daß Alice mutig beharrte: »Vierundzwanzig Stunden, soviel *ich* weiß; oder sind es zwölf? Ich –«

»Laß *mich* bloß damit in Ruhe«, zürnte die Herzogin. »Ich kann Zahlen einfach nicht ausstehen!« Und damit hätschelte sie das Kind erneut, sang ihm eine Art Wiegenlied und versetzte ihm am Ende jeder Zeile einen kräftigen Stoß:

> »*Sprich streng mit deinem kleinen Sohn,*
> *Verdresche ihn beim Niesen:*
> *Er tut es doch nur dir zur Fron,*
> *Will dich dadurch verdrießen.*«

REFRAIN (in den die Köchin und das Baby einstimmten):

> »*Wau! Wau! Wau!*«

Während die Herzogin die zweite Strophe sang, schüttelte sie das Baby hin und her, und das arme kleine Ding kreischte so laut, daß Alice die Worte kaum verstehen konnte:

> »*Ich spreche streng mit meinem Sohn,*
> *Verdresche ihn beim Niesen;*
> *Genießen soll er die Portion*
> *Von Pfeffer, die wir bliesen!*«

REFRAIN:

»Wau! Wau! Wau!«

»Hier! Du kannst es ein bißchen halten, wenn du magst!«
sagte die Herzogin zu Alice und warf ihr dabei das Baby zu.
»Ich muß mich zum Krocketspiel mit der Königin umklei-
den«, und damit flitzte sie aus dem Zimmer. Die Köchin warf
ihr eine Bratpfanne hinterher, verfehlte sie aber um Haares-
breite.

Alice fing das Baby schlecht und recht, denn es war ein selt-
sam gewachsenes kleines Wesen, das Arme und Beine in alle
Himmelsrichtungen streckte. »Gerade wie ein Seestern«,
dachte Alice. Das arme kleine Ding schnaufte wie eine
Dampfmaschine, als sie es auffing, krümmte sich zusammen
und streckte sich abwechselnd, daß sie alle Kräfte aufbieten
mußte, um es festzuhalten.

Sobald sie es recht im Griff hatte (dazu mußte man es etwa
wie einen Knoten zusammenbinden und darauf sein rechtes
Ohr und seinen linken Fuß festhalten, damit es sich nicht wieder auflöste), trug sie es ins Freie. »Wenn ich das Kind nicht
mitnehme«, dachte Alice, »werden sie es bestimmt in ein oder
zwei Tagen umgebracht haben. Das wäre doch wohl Mord,
wenn ich es zurücklassen würde?« Die letzten Worte sprach
sie laut, und das kleine Ding grunzte zur Antwort (sein Niesen
hatte inzwischen aufgehört). »Grunz nicht«, sagte Alice,
»diese Ausdrucksweise gehört sich für dich nicht.«

Das Baby grunzte abermals, und Alice betrachtete besorgt
sein Gesicht, um festzustellen, was mit ihm los war. Zweifellos
besaß es eine *enorme* Himmelfahrtsnase, das war eher schon
ein Rüssel als eine Nase. Auch die Augen waren für ein Baby
ziemlich klein; alles in allem mochte Alice den Blick dieses
Dingsda nicht. »Aber vielleicht hat es nur geschluchzt«, über-

legte sie und betrachtete abermals seine Augen, ob es vielleicht weinte.

Nein, keine Tränen. »Wenn du dich jetzt etwa in ein Ferkel verwandeln solltest, mein Liebes«, warnte Alice, »dann will ich nichts mehr mit dir zu tun haben. Nimm dich also in

acht!« Das arme kleine Ding schluchzte wieder (oder grunzte, das ließ sich nicht entscheiden), und schweigend ging sie eine Zeitlang weiter.

Gerade, als Alice die Überlegung anstellte: »Was soll ich bloß mit diesem Wesen anfangen, wenn ich es mit nach Hause nehme!«, grunzte es abermals so vernehmlich, daß sie es ganz verschreckt betrachtete. Diesmal gab es *keinen* Zweifel mehr: es war einfach nur ein Ferkel, und es wäre ihr ziemlich absurd vorgekommen, hätte sie es weiterhin getragen.

So setzte sie das kleine Tier ab und war ziemlich erleichtert, als es einfach in den Wald davontrottete. »Das wäre sicher zu einem sehr häßlichen Kind herangewachsen«, sagte Alice bei sich, »aber als Ferkel scheint es mir ganz hübsch.« Und sie stellte sich die ihr bekannten Kinder als Ferkel vor und dachte gerade: »Man müßte natürlich wissen, wie man sie verwandelt –«, als sie zu ihrer Verblüffung die Schmeichelkatze bemerkte, die einige Meter entfernt auf einem Baum saß.

Die Katze grinste bei Alices Anblick bloß. Sie schien guter Laune; doch sie besaß *sehr* lange Krallen und viele, viele Zähne, so daß Alice sie lieber mit Vorsicht behandelte.

»Schmeichel-Pussi«, redete sie sie schüchtern an, denn sie wußte nicht, ob sie diesen Namen mochte; doch das Grinsen zog sich noch ein bißchen höher. »Ah, das hat ihr also gefallen«, freute sich Alice, und sie fuhr fort: »Würdest du mir vielleicht bitte den Weg weisen?«

»Das kommt darauf an, wohin du willst«, sagte die Katze.

»Das ist mir eigentlich gleich«, sagte Alice.

»Dann ist es auch egal, wohin du gehst«, stellte die Katze fest.

»– solange ich *irgendwo* ankomme«, ergänzte Alice erläuternd.

»Oh, das wirst du ganz bestimmt«, ermutigte die Katze, »wenn du nur lange genug gehst.«

Das konnte Alice nun nicht in Abrede stellen, und so versuchte sie es anders. »Was für Leute wohnen denn hier herum?«

»Da *hinten*«, sagte die Katze und wies mit der rechten Pfote, »lebt ein Hutmacher; und da *vorn*«, sie wies mit der anderen Pfote, »lebt ein Märzhase. Egal, wen du besuchst: Verrückt sind sie alle beide.«

»Aber ich möchte nicht unter Verrückte kommen«, meinte Alice.

»Oh, das kannst du wohl kaum verhindern«, sagte die Katze, »wir sind hier nämlich alle verrückt. Ich bin verrückt. Du bist verrückt.«

»Woher willst du wissen, daß ich verrückt bin?« erkundigte sich Alice.

»Wenn du es nicht wärest«, stellte die Katze fest, »dann wärest du nicht hier.«

Alice schien das überhaupt kein schlüssiger Beweis, doch sie fragte weiter: »Und woher willst du wissen, daß du verrückt bist?«

»Also, zuerst einmal«, argumentierte die Katze, »gibst du doch zu, daß ein Hund nicht verrückt ist?«

»Ich nehme es an«, gestand Alice zu.

»Nun denn«, führte die Katze weiter aus, »ein Hund knurrt, wenn er wütend ist, und wedelt mit dem Schwanz, wenn er glücklich ist. Also, *ich* knurre, wenn ich glücklich bin, und wedele mit dem Schwanz, wenn ich wütend bin. Deshalb bin ich verrückt.«

»*Ich* würde das als ›schnurren‹ und nicht als ›knurren‹ bezeichnen«, korrigierte Alice.

»Bezeichne es, wie es dir beliebt«, sagte die Katze. »Kommst du heute auch zum Krocketspiel bei der Königin?«

»Ich würde schon sehr gerne, aber ich bin nicht eingeladen«, bedauerte Alice.

»Du wirst mich da treffen«, sagte die Katze und verschwand.

Das überraschte Alice nicht besonders, denn sie war inzwischen an allerhand Merkwürdigkeiten gewöhnt. Während sie noch den leeren Fleck betrachtete, war die Katze plötzlich wieder da.

»Ach, übrigens, was ist eigentlich aus dem Baby geworden?« erkundigte sich die Katze. »Die Frage hätte ich fast vergessen.«

»Ein Schwein!« antwortete Alice seelenruhig, als sei die Katze ganz normal wieder aufgetaucht.

»Hab ich's doch gedacht«, meinte die Katze und verschwand abermals.

Alice wartete noch ein wenig, da sie mit einem nochmaligen
Auftritt rechnete, aber nichts geschah, und so ging sie nach ei-
nem Weilchen dorthin, wo der Märzhase lebte. »Einen Hut-
macher habe ich schon oft gesehen«, sagte sie bei sich, »der
Märzhase ist weit interessanter, und vielleicht ist er jetzt im
Mai nicht total verrückt – wenigstens nicht so verrückt wie im
März.« Dabei blickte sie auf, und da saß die Katze schon wie-
der auf einem Ast.

»Sagtest du ›Schwein‹ oder ›Schrein‹?« fragte die Katze.

»Ich sagte ›Schwein‹«, bekräftigte Alice, »und es wäre mir
lieb, wenn du nicht immer so plötzlich da und weg wärest: Das
macht einen ganz schwindlig.«

»Einverstanden«, meinte die Katze; und diesmal verschwand sie ganz allmählich vom Schwanzende bis hin zum
Grinsen, das noch einige Zeit in der Luft blieb, als der Rest
schon verschwunden war.

»Liebe Güte! Ich habe schon oft eine Katze ohne Grinsen
gesehen«, stellte Alice fest, »aber ein Grinsen ohne Katze! Das
ist mir noch niemals begegnet!«

Sehr bald schon erblickte sie das Haus des Märzhasen: es
mußte wohl das richtige sein, denn die Schornsteine waren
wie Löffel geformt, und das Dach war mit Fell gedeckt. Das
Haus selbst war so groß, daß sie nicht nähertreten mochte, bevor sie nicht an dem Pilzstück in ihrer linken Hand geknab-
bert hatte und auf einen halben Meter gewachsen war; doch
selbst dann ging sie ziemlich vorsichtig darauf zu, wobei sie
sich sagte: »Wenn er nun aber doch total verrückt sein sollte?
Vielleicht wäre es besser gewesen, statt dessen den Hutmacher zu besuchen!«

VII. KAPITEL

Wir sind total im Tee!

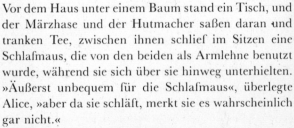

Vor dem Haus unter einem Baum stand ein Tisch, und der Märzhase und der Hutmacher saßen daran und tranken Tee, zwischen ihnen schlief im Sitzen eine Schlafmaus, die von den beiden als Armlehne benutzt wurde, während sie sich über sie hinweg unterhielten. »Äußerst unbequem für die Schlafmaus«, überlegte Alice, »aber da sie schläft, merkt sie es wahrscheinlich gar nicht.«

Der Tisch war riesig, aber sie hatten sich alle an einer Kante eng zusammengequetscht. »Besetzt! Besetzt!« riefen sie gleich, als Alice näherkam. »Aber es ist doch fast *alles* frei!« empörte sich Alice und ließ sich in einem Polstersessel am Kopfende nieder.

»Ein Glas Wein«, bot der Märzhase aufmunternd an.

Alice musterte den Tisch, aber sie sah nur ein Teegedeck. »Ich sehe keinen Wein«, bemerkte sie.

»Ist ja auch keiner da«, bestätigte der Märzhase.

»Dann war das Angebot aber nicht sehr höflich«, zürnte Alice.

»Es war auch nicht sehr höflich, sich unaufgefordert an unseren Tisch zu setzen«, parierte der Märzhase.

»Wie sollte ich wissen, daß es *euer* Tisch ist«, entschuldigte sich Alice, »schließlich ist er ja für weit mehr als drei Personen gedeckt.«

»Du brauchst einen Haarschnitt«, stellte der Hutmacher fest. Er hatte Alice eine Weile sehr neugierig angesehen, und dies war seine erste Bemerkung.

»Du solltest nicht so indiskrete Bemerkungen machen«, wies Alice ihn zurecht. »Das schickt sich nicht.«

Bei diesen Worten riß der Hutmacher die Augen weit auf, aber er *sagte* nur: »Was haben ein Rabe und ein Schreibtisch gemeinsam?«

»Ach, jetzt wird es endlich lustig!« dachte Alice. »Schön, daß sie mit Rätselraten beginnen – ich glaube, das kriege ich heraus«, fügte sie laut hinzu.

»Du meinst damit, du kannst darauf die Antwort geben?« erkundigte sich der Märzhase.

»Na klar«, bekräftigte Alice.

»Dann solltest du das auch sagen«, fuhr der Märzhase fort.

»Hab ich doch«, erwiderte Alice hastig, »wenigstens – wenigstens habe ich das gemeint – und das ist ja wohl dasselbe.«

»Keineswegs«, widersprach der Hutmacher. »Genauso könntest du behaupten, daß ›Ich sehe, was ich esse‹ dasselbe sei wie ›Ich esse, was ich sehe‹!«

»Genauso könntest du sagen«, fügte der Märzhase hinzu, »daß ›Ich mag, was ich bekomme‹ dasselbe sei wie ›Ich bekomme, was ich mag‹!«

»Genauso könntest du sagen«, ergänzte die Schlafmaus, die im Schlaf zu sprechen schien, »daß ›Ich schlafe, wenn ich atme‹ dasselbe sei wie ›Ich atme, wenn ich schlafe‹!«

»Bei dir *ist* das auch dasselbe«, meinte der Hutmacher, und hier riß das Gespräch ab, und sie saßen eine Weile schweigend da, während Alice über all das grübelte, was sie über Raben und Schreibtische wußte, und das war nicht gerade viel.

Als erster brach der Hutmacher das Schweigen..»Der wievielte ist denn heute?« wandte er sich an Alice; er hatte seine

Uhr aus der Tasche gezogen, konsultierte sie unzufrieden, schüttelte sie dann und wann und hielt sie ans Ohr.

Alice überlegte ein wenig und sagte dann: »Der Vierte.«

»Zwei Tage hinkt sie hinterher!« seufzte der Hutmacher.

»Ich habe dir ja gleich gesagt, Butter schadet dem Uhrwerk!«
wandte er sich verärgert an den Märzhasen.

»Aber es war Butter von *bester* Qualität«, rechtfertigte sich
der Märzhase kleinlaut.

»Mag schon sein, aber Krümel müssen mithineingeraten
sein«, knurrte der Hutmacher, »du hättest sie nicht mit dem
Brotmesser hineinstreichen sollen.«

Der Märzhase ergriff die Uhr und betrachtete sie schwer-
mütig. Darauf tunkte er sie in seine Teetasse und betrachtete
sie abermals, aber ihm fiel dazu nichts weiter ein als beim ersten Mal: »Es war wirklich *beste* Qualitätsbutter.«

Alice hatte ihm neugierig über die Schulter gelinst. »Was
für eine kuriose Uhr!« urteilte sie. »Die zeigt ja die Monats-
tage und nicht die Uhrzeit!«

»Warum auch?« brummelte der Hutmacher. »Zeigt dir
deine Uhr etwa das Jahr an?«

»Natürlich nicht«, antwortete Alice prompt, »aber das liegt
daran, daß ein Jahr so lange dauert.«

»Das ist bei *meiner* nicht anders«, sagte der Hutmacher.

Das verwirrte Alice entsetzlich. Des Hutmachers Bemerkung schien ihr keinerlei Sinn zu ergeben, obwohl er englisch
gesprochen hatte. »Ich habe dich nicht ganz verstanden«,
sagte sie so höflich wie möglich.

»Die Schlafmaus schläft schon wieder«, sagte der Hutmacher und begoß ihre Nase ein wenig mit heißem Tee.

Die Schlafmaus schüttelte unwillig den Kopf und sagte mit
geschlossenen Augen: »Jawohl, jawohl: Genau das wollte ich
gerade sagen.«

»Hast du das Rätsel inzwischen gelöst?« wandte sich der
Hutmacher wieder an Alice.

»Nein, ich gebe auf«, gestand Alice. »Wie ist die Lösung?«

»Ich habe nicht die geringste Ahnung«, bekannte der Hutmacher.

»Ich auch nicht«, schloß sich der Märzhase an.

Alice seufzte erschöpft. »Ich meine ja, ihr könntet Besseres mit der Zeit anfangen«, kritisierte sie, »als sie mit Rätseln ohne Lösungen zu verschwenden.«

»Wenn du dich so gut mit der Zeit auskennen würdest wie ich«, sagte der Hutmacher, »würdest du wissen, daß es nicht *sie*, sondern *ihn* heißen muß.«

»Ich verstehe nicht, was du damit sagen willst«, meinte Alice.

»Wie solltest du auch!« sagte der Hutmacher und warf verächtlich den Kopf zurück. »Vermutlich hast du noch nie mit Herrn Zeit gesprochen!«

»Das wohl nicht«, gestand Alice vorsichtig ein, »aber ich habe bestimmt in der Musikstunde den Zeittakt geschlagen.«

»Aha! Da haben wir es schon«, triumphierte der Hutmacher. »Schläge mag er ganz und gar nicht. Nun, du mußt mit ihm auf gutem Fuß stehen, dann tut er alles mit der Uhr, was du willst. Angenommen, es wäre neun Uhr morgens, und der Unterricht beginnt: Flüstere ihm nur kurz etwas zu, und im Nu sausen die Zeiger los! Auf halb zwei! Mahlzeit!«

(»Wäre es nur schon soweit«, wisperte der Märzhase vor sich hin.)

»Das wäre aber schön«, sagte Alice nachdenklich, »aber – dann wäre ich doch noch gar nicht hungrig.«

»Vielleicht nicht sofort«, gab der Hutmacher zu, »aber du könntest es halb zwei sein lassen, solange du wolltest.«

»Machst *du* es vielleicht so?« erkundigte sich Alice.

Der Hutmacher schüttelte traurig den Kopf. »Leider nein!« bedauerte er. »Im letzten März hatten wir einen Streit – kurz bevor *er* verrückt wurde –« (und er deutete mit dem Teelöffel auf den Märzhasen) »– da war ein großes Konzert bei der Herzkönigin, und ich mußte singen:

>*Der Mund ist aufgegangen,*
Die goldnen Äpfel prangen
Im Törtchen, braun und gar.<

Du kennst vielleicht das Lied?«

»Ähnliches habe ich schon gehört«, meinte Alice.

»Es geht noch weiter«, erklärte der Hutmacher, »und zwar so:

>*Der Napf steht da, man geiget,*
Und aus den Kesseln steiget
Ein lockend Duft ganz wunderbar.<«

Hier schüttelte sich die Schlafmaus und hob im Schlaf zu singen an »Wunder-, wunder-, wunder-bar –«, und zwar in einem fort, so daß sie sie kneifen mußten, damit sie aufhörte.

»Also, ich hatte die erste Strophe kaum beendet«, erzählte der Hutmacher, »als die Königin auch schon losschrie ›Eine Taktlosigkeit, so die Zeit totzuschlagen! Schlagt ihm den Kopf ab!‹«

»Oh, wie gemein!« empörte sich Alice.

»Und seit jener Zeit«, klagte der Hutmacher, »erfüllt er mir überhaupt keine Bitte mehr! Es ist immer fünf Uhr.«

Da hatte Alice plötzlich einen Gedanken, und sie fragte, »Ist deswegen so viel Teegeschirr auf dem Tisch?«

»Ganz recht«, seufzte der Hutmacher, »es ist immer Teezeit, und wir haben überhaupt keine Zeit zum Spülen.«

»Dann rückt ihr wohl immer weiter um den Tisch?« mutmaßte Alice.

»Richtig«, bestätigte der Hutmacher, »sobald das Gedeck benutzt ist.«

»Aber was passiert, wenn ihr wieder am Anfang seid?« wagte Alice zu fragen.

»Wollen wir nicht mal das Thema wechseln«, unterbrach gähnend der Märzhase. »Das wird doch allmählich langweilig. Ich schlage vor, die kleine Dame erzählt uns eine Geschichte.«

»Ich kenne leider keine«, bedauerte Alice, die durch das Ansinnen ziemlich erschrocken war.

»Dann soll die Schlafmaus erzählen!« riefen beide. »Wach auf, Schlafmaus!« Und sie zwickten sie gleichzeitig von beiden Seiten.

Die Schlafmaus öffnete vorsichtig die Augen. »Ich habe nicht geschlafen«, sagte sie mit heiserer Piepsstimme, »ich habe alles gehört, was ihr gesagt habt.«

»Erzähl uns eine Geschichte!« verlangte der Märzhase.

»O ja, bitte«, bettelte Alice.

»Und zwar rasch«, fügte der Hutmacher hinzu, »sonst schläfst du wieder vor dem Ende ein.«

»Es waren einmal drei Schwesterchen«, begann die Schlafmaus hastig, »die hießen Elsie, Lacie und Tillie; und sie wohnten auf dem Grunde eines Brunnens –«

»Wovon lebten sie denn?« fragte Alice, die an den Fragen, die Essen und Trinken betrafen, sehr interessiert war.

»Von Sirup«, erklärte die Schlafmaus, nachdem sie eine Weile darüber nachgedacht hatte.

»Das scheint mir aber nicht gut möglich«, bemerkte Alice gutmütig. »Dann wären sie ja krank gewesen.«

»Das waren sie ja auch«, meinte die Schlafmaus, »und zwar *sehr* krank.«

Alice versuchte, sich selbst vorzustellen, wie ein so außerordentliches Leben abliefe, doch daraufhin war sie ganz verwirrt; und so fragte sie lieber: »Aber warum lebten sie denn auf dem Grunde eines Brunnens?«

»Noch mehr Tee?« offerierte der Märzhase sehr ernst.

»Bisher hatte ich noch gar keinen«, erwiderte Alice beleidigt, »deshalb kann ich nicht noch mehr bekommen.«

»Du meinst, du kannst nicht *weniger* bekommen«, stellte der Hutmacher fest, »*mehr* als nichts zu bekommen ist sehr einfach.«

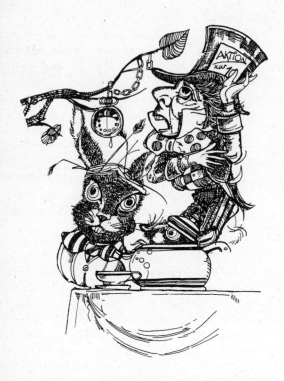

»Keiner hat dich um *deine* Meinung gebeten«, sagte Alice.

»Wer macht jetzt indiskrete Bemerkungen?« erkundigte sich der Hutmacher triumphierend.

Alice wußte nicht, was sie darauf antworten sollte; so nahm

sie sich selbst Tee und ein Butterbrot und wandte sich an die Schlafmaus, indem sie ihre Frage wiederholte. »Warum lebten sie denn auf dem Grunde eines Brunnens?«

Abermals grübelte die Schlafmaus eine Zeitlang darüber und sagte dann: »Es war ein Sirup-Brunnen.«

»Ach, das gibt's doch gar nicht!« Alice wurde langsam wütend, aber der Hutmacher und der Märzhase machten »Pscht! Pscht!«, und die Schlafmaus schmollte: »Wenn du dich nicht beherrschen kannst, dann mußt du die Geschichte eben selbst zu Ende erzählen.«

»O nein, erzähl bitte weiter!« sagte Alice sehr kleinlaut. »Ich will dich nicht mehr unterbrechen. Vielleicht gibt es ja doch *einen*.«

»Einen? Gestatte, daß ich lächle!« empörte sich die Schlafmaus. Dennoch erklärte sie sich bereit, weiterzuerzählen. »Nun, diese drei Schwesterchen – die lernten da unten Streiche –«

»Womit haben sie denn gestrichen?« fragte Alice, die ihr Versprechen ganz vergessen hatte.

»Sirup«, antwortete die Schlafmaus diesmal ganz prompt.

»Ich möchte eine saubere Tasse«, unterbrach der Hutmacher, »rutscht alle einen Platz weiter.«

Dabei rückte er weiter, und die Schlafmaus folgte ihm. Der Märzhase nahm den Platz der Schlafmaus ein, und Alice setzte sich ziemlich griesgrämig auf den Stuhl des Märzhasen. Einzig der Hutmacher hatte einen Vorteil von dem Platzwechsel; und Alice war im Gegensatz zu vorher ziemlich schlecht weggekommen, denn der Märzhase hatte Milch auf seinen Teller gekleckert.

Alice wollte die Schlafmaus nicht schon wieder verärgern, und so fragte sie ganz vorsichtig: »Mir ist das einfach noch nicht ganz klar. Was haben sie mit Sirup gestrichen?«

»Ein Wasserbrunnen ist mit Wasser gestrichen«, erklärte

der Hutmacher, »und ein Sirupbrunnen ist eben mit Sirup gestrichen – kapiert, du Dummchen?«

»Aber sie waren doch *in* dem Brunnen«, meinte Alice zur
Schlafmaus und überhörte geflissentlich diese letzte Bemerkung.

»Natürlich waren sie da«, sagte die Schlafmaus, »mit ihnen
war das Kind in den Brunnen gefallen.«

Diese Antwort verwirrte die arme Alice so sehr, daß die
Schlafmaus ihre Geschichte eine ganze Zeitlang ungestört
weitererzählen konnte.

»Also, sie lernten streichen«, fuhr die Schlafmaus fort,
gähnte und rieb sich die Augen, denn sie wurde allmählich
müde. »Und sie strichen alles, was mit einem M beginnt – «

»Warum mit einem M?« erkundigte sich Alice.

»Warum nicht?« fragte der Märzhase zurück.

Da war Alice still.

Inzwischen hatte die Schlafmaus bereits die Augen geschlossen und döste vor sich hin; doch da der Hutmacher sie
zwickte, wachte sie mit einem kurzen Quieken wieder auf und
fuhr fort: »– was mit einem M beginnt, etwa wie Mausefalle
und der Mond und Meinung und Mehrheit – du weißt ja sicher, daß man von vielem sagt, es sei ›das Meer der Mehrheit‹
– hast du jemals das Bildnis einer Mehrheit gesehen?«

»Also wirklich, wo du mich gerade fragst«, stammelte
Alice, »ich glaube nicht – «

»Dann solltest du den Mund halten«, rügte der Hutmacher.

Dies war Alice nun wirklich zuviel: Voller Empörung stand
sie auf und lief davon. Die Schlafmaus schlief auf der Stelle
ein, und die beiden anderen kümmerten sich nicht um ihr
Verschwinden, obwohl sie sich ein-, zweimal umdrehte, halbwegs in der Hoffnung, von ihnen zurückgerufen zu werden;
das letzte, was sie von ihnen sah, war, wie sie die Schlafmaus

in die Teekanne zu zwängen versuchten.

»Zu *denen* gehe ich jedenfalls nicht mehr!« sagte Alice, während sie sich im Wald zurechtzufinden versuchte. »Das war die dümmste Teegesellschaft, die ich je erlebt habe!«

In diesem Augenblick bemerkte sie, daß einer der Bäume eine Tür besaß. »Das ist aber kurios!« dachte sie. »Aber heute ist ja alles kurios. Ich gehe wohl am besten gleich hinein.« Und das tat sie auch.

Abermals fand sie sich in dem großen Saal wieder, direkt neben dem Glastischchen. »Diesmal werde ich mich geschickter anstellen«, sagte sie zu sich, nahm als erstes den kleinen goldenen Schlüssel zur Hand und schloß die Tür auf, die in den Garten führte. Dann machte sie sich daran, an dem Pilz zu knabbern (ein Stück hatte sie in ihre Tasche gesteckt), bis sie nur noch einige Zentimeter groß war; dann ging sie durch einen kleinen Gang – und schon stand sie zwischen leuchtenden Blumenbeeten und plätschernden Springbrunnen mitten in dem wunderschönen Garten.

VIII. KAPITEL

Der königliche Krocketplatz

Ein hochgewachsener Rosenstock stand gleich am Ein-
gang des Gartens: seine Blüten waren weiß, doch drei
Gärtner malten sie geschäftig mit roter Farbe an. Alice
fand das äußerst merkwürdig, und sie trat näher heran,
um ihnen zuzusehen, und gerade da beklagte sich einer
von ihnen: »Paß doch jetzt endlich mal auf, Fünf! Du
spritzt mich ja ganz voll Farbe!«

»Ich kann nichts dafür«, schmollte Fünf. »Sieben hat
mich gestoßen.«

Darauf schaute Sieben auf und protestierte: »So ist's
recht, Fünf! Gib nur immer den anderen die Schuld!«

»*Du* solltest besser den Mund halten!« drohte Fünf.
»Erst gestern habe ich die Königin sagen hören, daß du
eigentlich geköpft zu werden verdienst.«

»Was hat er denn gemacht?« erkundigte sich der, der
zuerst gesprochen hatte.

»Das geht dich überhaupt nichts an, Zwei!« raunzte
Sieben.

»Doch, das geht ihn wohl etwas an!« meinte Fünf.
»Und ich sag's ihm auch – weil du nämlich dem Koch

Tulpenzwiebeln statt Gemüsezwiebeln gebracht hast.«

Sieben schmetterte den Pinsel zu Boden und wollte sich gerade verteidigen: »Also, das ist ja wohl das letzte – «, als sein Blick zufällig auf Alice fiel, wie sie dastand und lauschte, und er unterbrach sich auf der Stelle; auch die anderen wandten sich um, und alle zusammen machten einen tiefen Diener.

»Würdet ihr mir bitte erklären«, fragte Alice ein wenig schüchtern, »wozu ihr die Rosen hier anmalt?«

Fünf und Sieben schwiegen und warfen Zwei einen Blick zu. Da flüsterte Zwei Alice zu: »Also, sehen Sie, mein Fräulein, eigentlich sollte das hier ein *roter* Rosenstock sein, aber wir haben irrtümlich einen weißen gesetzt; und wenn die Königin das merkt, werden wir geköpft. Deswegen, mein Fräulein, geben wir unser Bestes, ehe sie kommt und –.« An dieser Stelle rief Fünf, der die ganze Zeit über den Garten im Auge behalten hatte: »Die Königin! Die Königin!«, und die drei Gärtner warfen sich im Nu auf den Boden. Marschtritte erklangen, und Alice wandte sich neugierig nach der Königin um.

Zuerst traten zehn mit Piken bewehrte Soldaten auf, die an Gestalt den drei Gärtnern glichen, flach und rechteckig mit Händen und Füßen an den Ecken; und dann kamen paarweise nebeneinander wie die Soldaten die zehn Höflinge, über und über mit Karos geschmückt. Danach kamen die königlichen Kinder, ebenfalls zehn, und die lieben Kleinen hüpften paarweise Hand in Hand daher, mit Herzchen geschmückt. Als nächstes traten die Gäste auf, meist Königinnen und Könige, und zwischen ihnen bemerkte Alice das weiße Kaninchen. Es gestikulierte beim Reden sehr aufgeregt, lächelte zu allem, was man ihm sagte, und ging vorüber, ohne sie zu bemerken. Dann folgte der Herzbube mit der Königskrone auf einem scharlachroten Samtkissen; und schließlich kamen zum Schluß der großartigen Prozession DER HERZKÖNIG UND DIE HERZKÖNIGIN.

Alice war ziemlich ratlos, ob sie sich wie die drei Gärtner zu Boden werfen sollte oder nicht, aber sie konnte sich nicht erinnern, gehört zu haben, daß das bei einer Prozession die Regel sei.

»Und welchen Sinn macht außerdem eine Prozession«, überlegte sie, »wenn sich alle Leute hinlegen müssen, so daß sie sie nicht sehen können?« So blieb sie einfach stehen, wo sie war, und wartete ab.

Als die Prozession bei Alice vorbeikam, blieben alle stehen und sahen sie an, und die Königin erkundigte sich barsch: »Wer ist das?« Sie richtete die Frage an den Herzbuben, der nur mit einer Verbeugung und einem Lächeln antwortete.

»Trottel!« schimpfte die Königin und warf ungnädig den Kopf zurück; und zu Alice gewandt fuhr sie fort: »Wie heißt du, mein Kind?«

»Wenn Sie gestatten, Euer Majestät, mein Name ist Alice«, gab Alice sehr höflich Auskunft; aber bei sich dachte sie doch: »Also eigentlich sind sie ja nur ein Kartenspiel. Ich brauche mich also nicht vor ihnen zu fürchten!«

»Und wer sind *die da*?« fragte die Königin und wies auf die drei Gärtner, die um den Rosenstrauch herumlagen; denn, sieh mal, da sie auf dem Gesicht lagen und auf dem Rücken das gleiche Muster besaßen wie alle anderen Karten, konnte sie nicht ausmachen, ob sie nun Gärtner, Soldaten, Höflinge oder sogar drei ihrer eigenen Kinder waren.

»Wie soll *ich* das wissen?« sagte Alice, und ihr eigener Mut verblüffte sie. »Das ist doch nicht *meine* Sache.«

Vor Wut wurde die Königin knallrot, funkelte Alice einen Augenblick wie ein wildes Tier an und schrie dann lauthals: »Schlagt ihr den Kopf ab! Weg mit —«

»Quatsch!« unterbrach Alice laut und entschlossen, und die Königin verstummte auf der Stelle.

Der König ergriff beruhigend ihren Arm und gab zaghaft zu

bedenken: »Aber, aber, meine Liebe: Sie ist doch noch ein Kind!«

Wütend wandte sich die Königin von ihm ab und befahl dem Buben: »Dreht sie um!«

Der Bube tat es, indem er vorsichtig den Fuß benutzte.

»Aufstehen!« befahl die Königin mit schriller, lauter Stimme, und die drei Gärtner waren blitzartig auf den Füßen und verneigten sich vor dem König, der Königin, den Königskindern und all den anderen.

»Schluß damit!« schrie die Königin. »Da wird einem ja ganz schwindelig.« Und mit einem Blick auf den Rosenstrauch fuhr sie fort: »Was *habt* ihr hier wieder angestellt?«

»Wenn Sie gestatten, Euer Majestät«, murmelte Zwei ergeben und kniete nieder, »wir wollten versuchen – «

»Ist *mir* schon klar!« unterbrach die Königin, die unterdessen die Rosen inspiziert hatte. »Schlagt ihnen die Köpfe ab!«, und die Prozession setzte ihren Weg fort; drei Soldaten blieben zurück, um die unglücklichen Gärtner zu exekutieren, die schnell bei Alice Schutz suchten.

»Ihr werdet schon nicht geköpft!« beruhigte sie Alice und steckte sie in einen mächtigen Blumenkübel in der Nähe. Auf der Suche nach ihnen stöberten die drei Soldaten eine Weile herum und marschierten dann ungerührt hinter den anderen her.

»Sind ihre Köpfe ab?« rief die Königin.

»Mit Verlaub, die Köpfe sind weg, Euer Majestät!« meldeten die Soldaten.

»Das ist recht!« schrie die Königin. »Kannst du Krocket spielen?«

Die Soldaten reagierten nicht und sahen zu Alice hin, da die Frage offenbar für sie bestimmt war.

»Ja!« rief Alice.

»Na, dann los!« brüllte die Königin, und Alice ging im Zuge

mit und fragte sich, was wohl als nächstes geschehen würde.

»Heu – Heute ist ein sehr schöner Tag!« meldete sich schüchtern eine Stimme an ihrer Seite. Sie ging neben dem weißen Kaninchen, das scheu ihr Gesicht beobachtete.

»Stimmt«, bestätigte Alice. »Wo ist denn die Herzogin?«

»Pscht!« machte das Kaninchen. Ängstlich spähte es dabei über die Schulter, dann stellte es sich auf die Zehenspitzen, kam mit dem Mund an ihr Ohr und wisperte: »Sie ist zum Tode verurteilt.«

»Weshalb?« erkundigte sich Alice.

»Hast du ›Wie schade!‹ gesagt?« fragte das Kaninchen.

»Nein, ganz bestimmt nicht«, meinte Alice, »ich finde das überhaupt nicht schade. Ich habe gefragt: ›Weshalb?‹«

»Sie hat der Königin eine Ohrfeige versetzt –«, begann das Kaninchen. Alice gluckste vor Lachen in sich hinein. »Oh, hör auf!« wisperte das Kaninchen ängstlich. »Die Königin kann dich hören! Also, sie hatte sich ziemlich verspätet, und die Königin bemerkte –«

»Auf die Plätze!« donnerte die Königin, und alles rannte blindlings los und stolperte übereinander; nichtsdestoweniger stand ein jeder bald an seinem Platz, und das Spiel begann.

Solch einen merkwürdigen Krocketplatz hatte Alice wohl noch nie in ihrem Leben gesehen: Er war eben wie ein Acker; als Kugeln dienten zusammengerollte Igel, als Schläger Flamingos, und die Soldaten mußten im Liegestütz verharren, um die Tore zu bilden.

Am schwierigsten war allerdings für Alice der Umgang mit dem Flamingo. Sie schaffte es zwar noch leidlich, seinen Körper unter den Arm zu klemmen, aber gerade, wenn sie seinen Hals schön gestreckt hatte und mit dem Kopf dem Igel einen Schlag versetzen wollte, drehte der Flamingo sich um und betrachtete sie mit einem derart erstaunten Ausdruck, daß sie einfach laut auflachen mußte; und wenn sie seinen Kopf wieder in der richtigen Position hatte, um von vorne zu beginnen, mußte sie zu ihrem Ärger entdecken, daß der Igel sich einfach entrollt hatte und gerade wegkroch. Dazu kam noch, daß ausgerechnet in der Bahn, die sie für den Igel vorgesehen hatte,

eine Furche oder eine Erhebung war, und da die Soldaten, die die Tore bildeten, außerdem immer wieder aufstanden und in andere Teile des Feldes liefen, kam Alice schon bald zu dem Schluß, daß das in der Tat ein ziemlich kompliziertes Spiel war.

Die Spieler agierten alle auf einmal, ohne Rücksicht auf

eine Reihenfolge, zankten sich die ganze Zeit und gerieten sich über die Igel in die Haare; und schon sehr bald schäumte die Königin vor Wut, stapfte herum und schrie:»Schlagt ihm den Kopf ab!« oder:»Schlagt ihr den Kopf ab!« etwa einmal pro Minute.

Alice fühlte sich allmählich unbehaglich. Gewiß, bisher hatte sie noch keinen Streit mit der Königin, aber sie war sich darüber klar, daß sich das jeden Augenblick ändern konnte. »Und dann«, dachte sie,»was soll denn dann aus mir werden? Denen macht es hier ja ziemlichen Spaß, die Leute zu köpfen; da ist es ja direkt ein Wunder, daß überhaupt noch jemand am Leben ist!«

Sie sah sich nach einem Fluchtweg um und fragte sich, ob sie ungesehen entwischen konnte, als sie einer merkwürdigen Erscheinung in der Luft gewahr wurde; zuerst war sie völlig verwirrt, doch nachdem sie sie eine Weile beobachtet hatte, erkannte sie darin ein Grinsen, und sie sagte zu sich:»Das ist die Schmeichelkatze; nun kann ich mich endlich mit jemandem unterhalten.«

»Wie klappt's denn bei dir?« erkundigte sich die Katze, sobald genug Maul da war, um zu sprechen.

Alice wartete ab, bis die Augen erschienen waren, dann nickte sie.»Sinnlos, mit ihr zu reden«, dachte sie,»bis die Ohren da sind oder wenigstens eines.« Kurz darauf war der Kopf vollständig, und da legte Alice ihren Flamingo hin und berichtete über den Spielverlauf, wobei sie sehr froh war, daß ihr jemand zuhörte. Der Katze schien der bisherige Teil ihrer körperlichen Anwesenheit zu genügen, so daß nichts mehr von ihr erschien.

»Ich glaube nicht, daß die ein faires Spiel treiben«, hob Alice zu klagen an,»und sie streiten sich alle so schrecklich, daß man nicht einmal sein eigenes Wort versteht – und Regeln scheinen die gar nicht zu kennen, wenn es überhaupt welche gibt –, und du kannst dir gar nicht vorstellen, wie verwirrend das ist, wenn alle Spielutensilien lebendig sind: Zum Beispiel spaziert gerade mein Tor, durch das ich als nächstes schlagen muß, da hinten am Spielfeld herum – und ich hätte jetzt bestimmt den Igel der Königin getroffen, wenn der nicht vor meinem eigenen ausgebüchst wäre!«

»Wie gefällt dir denn die Königin?« erkundigte sich die Katze mit gedämpfter Stimme.

»Ganz und gar nicht«, bekräftigte Alice, »sie ist derart –« Just da bemerkte sie, daß die Königin dicht hinter ihr stand und zuhörte »– geschickt beim Spiel, daß man gar keine Chancen hat.«

Die Königin lächelte und entfernte sich.

»Mit wem redest du eigentlich?« fragte der König, trat zu Alice und betrachtete sehr neugierig den Katzenkopf.

»Das ist eine meiner Freundinnen – eine Schmeichelkatze«, erklärte Alice, »erlaubt mir, daß ich sie Euch vorstelle.«

»So, wie sie aussieht, gefällt sie mir nicht«, bemerkte der König, »aber egal, wenn sie will, darf sie mir die Hand küssen.«

»Keine Lust«, meinte die Katze.

»Sei nicht so impertinent«, sagte der König, »und sieh mich nicht so an, du!« Dabei verbarg er sich hinter Alice.

»Aber normal sieht doch die Katz sogar den Kaiser an«, erklärte Alice. »Jedenfalls habe ich das irgendwo gelesen, ich weiß nur nicht mehr, wo.«

»Also, jedenfalls muß sie weg«, entschied der König; und er rief der gerade vorbeigehenden Königin zu: »Meine Liebe, könntest du mir vielleicht die Katze vom Hals schaffen lassen!«

Die Königin kannte für alle Probleme, seien sie nun groß oder klein, nur eine Lösung. »Schlagt ihr den Kopf ab!« rief sie, ohne sich überhaupt umzusehen.

»Den Scharfrichter hole ich gleich selbst herbei«, erbot sich der König und eilte davon.

Alice zog es vor, wegzugehen und sich über den Spielstand zu informieren, da hörte sie in der Ferne schon wieder die Wutschreie der Königin. Das Todesurteil über drei Mitspieler, nur weil sie vergessen hatten, daß sie dran gewesen waren,

hatte sie bereits mit angehört, und bei diesen Aussichten wurde ihr ganz unbehaglich, denn das Spiel war ein derartiges Tohuwabohu, daß sie niemals wußte, ob sie nun dran war oder nicht. So machte sie sich auf die Suche nach ihrem Igel.

Der Igel hatte gerade mit einem anderen Igel eine Rangelei, was Alice eine willkommene Gelegenheit schien, einen treffsicheren Schlag zu landen: das einzige Problem bestand nur darin, daß ihr Flamingo zur anderen Seite des Gartens stolziert war, wo er nach Alices Eindruck ungeschickt auf einen Baum zu fliegen versuchte.

Als sie den Flamingo wieder eingefangen hatte, war der Kampf vorüber, und beide Igel hatten sich davongemacht. »Aber das spielt keine Rolle«, dachte Alice, »denn die Tore sind auf dieser Spielplatzhälfte auch alle abgewandert.« So klemmte sie sich den Flamingo unter den Arm, damit er nicht wieder ausreißen konnte, und ging zurück, um sich noch ein wenig mit ihrer Freundin zu unterhalten.

Bei der Schmeichelkatze fand sie zu ihrer Überraschung eine große Versammlung vor: Ein heftiges Streitgespräch wogte zwischen dem Scharfrichter, dem König und der Königin, die alle auf einmal redeten, während die übrigen schwiegen und sich sehr unbehaglich fühlten.

Alice trat hinzu und wurde augenblicklich von allen dreien gebeten, die Lage zu beurteilen, und sie wiederholten ihre Argumente, doch da sie alle auf einmal redeten, konnte sie kaum etwas von dem Vorgebrachten verstehen.

Der Scharfrichter war der Ansicht, daß man nur einen Kopf abschlagen könne, wenn auch ein Körper da sei, von dem man ihn abschlagen könne; anders sei er noch nie zuvor verfahren, und er denke nicht im Traum daran, zu *seinen* Lebzeiten noch damit zu beginnen.

Der König vertrat die Meinung, daß alles, was einen Kopf habe, diesen auch abgeschlagen bekommen könne, und man solle nicht so einen Unsinn reden.

Die Königin schließlich führte aus, wenn nicht auf der Stelle etwas geschähe, würde sie jedem, der hier herumstünde, den Kopf abschlagen lassen. (Es war diese letzte Bemerkung, die bei der ganzen Gesellschaft Schweigsamkeit und Unbehagen ausgelöst hatte.)

Alice wußte nur einen Ausweg und sagte: »Sie gehört der Herzogin: Man sollte *sie* vielleicht besser danach fragen.«

»Die sitzt im Gefängnis«, sagte die Königin zum Scharfrichter, »bring sie her.« Und pfeilschnell flitzte der Scharfrichter davon.

Als er weg war, begann der Kopf der Katze allmählich zu verschwimmen, und als er mit der Herzogin zurück war, war die Schmeichelkatze fort; und so rannten der König und der Scharfrichter aufgeregt hin und her und suchten sie, während sich die übrige Gesellschaft wieder dem Spiel widmete.

IX. KAPITEL

Lebensgeschichte einer falschen Suppenschildkröte

»Du kannst dir gar nicht vorstellen, wie ich mich freue, dich wiederzusehen, meine liebe Kleine!« jubelte die Herzogin, nahm Alice liebevoll in den Arm und zog mit ihr zusammen los.

Alice freute sich, daß sie so guter Stimmung war, und dachte bei sich, daß vielleicht nur der Pfeffer daran schuld war, daß sie so wütend gewesen war, als sie sich in der Küche begegnet waren.

»Sollte *ich* einmal Herzogin sein«, sagte sie zu sich (obgleich nicht besonders optimistisch), »dann gibt es in der Küche *überhaupt keinen* Pfeffer. Suppe schmeckt auch ohne – und vielleicht ist es ja der Pfeffer, der die Menschen so heißblütig macht«, ergänzte sie ganz stolz in dem Bewußtsein, eine neue Regel aufgestellt zu haben, »und Essig macht sie sauer – und Kamillentee erbittert sie – und – und bei Zuckerstangen werden sie zu Süßholzrasplern. *Das* sollten die Leute endlich einmal beachten: dann wären sie damit wenigstens nicht mehr so knauserig –«

Inzwischen war ihr die Anwesenheit der Herzogin

gar nicht mehr bewußt, und so schreckte sie ein wenig zusammen, als sie deren Stimme dicht an ihrem Ohr hörte. »Du bist ganz in Gedanken versunken, meine Liebe, und deshalb vergißt du völlig zu sprechen. Im Augenblick kann ich dir nicht genau sagen, was die Moral davon ist, aber es fällt mir gleich wieder ein.«

»Vielleicht gibt es keine«, meinte Alice vorsichtig.

»Larifari, mein Kind!« protestierte die Herzogin. »Alles hat eine Moral, wenn man nur ein Auge dafür hat.« Und dabei drängte sie sich noch dichter an Alice heran.

Alice schätzte diese aufdringliche Nähe nicht besonders,

denn zum einen war die Herzogin *äußerst* häßlich, zum anderen hatte sie gerade die rechte Größe, um ihr Kinn auf Alices Schulter zu stützen, und es war ein unangenehm spitzes Kinn. Doch sie wollte nicht unhöflich sein; und so ertrug sie es, so gut sie konnte.

»Das Krocketspiel läuft wohl jetzt etwas besser«, stellte sie fest, um das Gespräch ein wenig zu beleben.

»Stimmt«, bestätigte die Herzogin, »und die Moral ist – ›Oh, die Liebe, oh, die Liebe, läßt allein die Welt sich drehen!‹«

»Irgend jemand hat aber auch gesagt«, wisperte Alice, »sie würde sich ein gutes Stück schneller drehen, wenn keiner seine Nase in anderer Leute Angelegenheiten stecken würde!«

»Ach ja! Das bedeutet fast dasselbe«, erklärte die Herzogin, bohrte ihr spitzes kleines Kinn in Alices Schulter und fuhr fort: »Und *davon* ist die Moral: ›Wer die Mennig‹ nicht ehrt, ist des Malers nicht wert.‹«

»Was für einen Spaß es ihr macht, für alles eine Moral zu finden!« dachte Alice bei sich.

»Ich nehme an, du fragst dich, warum ich dich nicht umarme«, meinte die Herzogin nach einer Pause, »der Grund ist einfach, ich bin mir über die Reaktion deines Flamingos nicht im klaren. Soll ich es einmal darauf ankommen lassen?«

»Möglich, daß er beißt«, warnte Alice, die eine weitere Annäherung überhaupt nicht schätzte.

»Ganz recht«, pflichtete die Herzogin bei. »Flamingos und Senf, beide beißen. Und die Moral ist – ›Gleich und Gleich gesellt sich gern.‹«

»Nur daß der Senf kein Vogel ist«, bemerkte Alice.

»Du hast wie immer recht«, gab die Herzogin zu. »Erstaunlich, wie präzise du die Dinge siehst!«

»Ich *glaube*, er gehört zu den Mineralien«, grübelte Alice.

»Ja, natürlich«, bestätigte die Herzogin, die sich wohl vor-

genommen hatte, Alice nach dem Munde zu reden, »hier in
der Nähe gibt es eine große Senfmine. Und die Moral ist –
›Mach gute Miene zum bösen Spiel.‹«

»Oh, jetzt fällt es mir wieder ein!« rief Alice, der die letzte
Moral entgangen war. »Er ist eine Pflanze, auch wenn er nicht
so aussieht.«

»Da kann ich dir nur zustimmen«, meinte die Herzogin,
»und die Moral davon ist: ›Sei, was du zu sein scheinst‹ – oder,
wenn du es ein wenig leichter formuliert haben willst: ›Bilde
dir niemals ein, nicht anders zu sein, als du anderen er-
scheinst, daß du seist oder sein könntest, das wäre nichts anderes, als wenn du so sein würdest, als wärest du ihnen anders
erschienen.‹«

»Das verstehe ich wohl weit besser«, sagte Alice sehr höflich, »wenn ich es schriftlich habe; aber beim bloßen Hören
kann ich das schwer begreifen.«

»Das ist nichts gegen das, was ich noch zu sagen wüßte«,
antwortete die Herzogin hocherfreut.

»Machen Sie sich bitte keine Umstände, es noch weiter aus-
zuführen«, flehte Alice.

»Ach, das sind doch keine Umstände!« beruhigte die Herzogin. »Ich schenke dir alles, was ich bisher gesagt habe.«

»Ein billiges Geschenk!« dachte Alice. »Nur gut, daß man
mir so etwas nicht zum Geburtstag schenkt!« Aber laut wagte
sie die Bemerkung nicht.

»Schon wieder in Gedanken?« erkundigte sich die Herzogin, und abermals stach ihr spitzes kleines Kinn zu.

»Man wird doch wohl noch denken dürfen«, protestierte
Alice, denn sie war inzwischen leicht verärgert.

»Dazu hat man ebenso das Recht«, meinte die Herzogin,
»wie Schweine zum Fliegen; und die Mo –«

Doch hier erstarb zu Alices großer Verwunderung der
Herzogin Stimme ausgerechnet mitten in ihrem Lieblings-

wort ›Moral‹, und der Arm, der den ihren hielt, fing an zu zittern. Alice blickte auf, und da stand die Königin mit verschränkten Armen und blitzenden Augen vor ihnen.

»Ein schöner Tag, Euer Majestät!« stammelte die Herzogin eingeschüchtert.

»Also, ich warne dich zum letzten Mal«, schrie die Königin und stampfte dabei mit dem Fuß auf, »entweder du verschwindest oder dein Kopf, und zwar auf der Stelle! Du hast die Wahl!«

Die Herzogin entschied sich und war im Nu verschwunden.

»Dann wollen wir mal weiterspielen«, schlug die Königin Alice vor; und die war viel zu verschreckt, um etwas zu sagen, und so folgte sie ihr langsam zum Spielplatz zurück.

Die anderen Gäste hatten die Abwesenheit der Königin dazu genutzt, sich im Schatten auszuruhen; doch sobald sie sie erblickten, nahmen sie unverzüglich wieder ihre Plätze ein, und die Königin merkte nur an, daß der geringste Verzug sie das Leben kosten würde.

Die ganze Spielzeit über geriet die Königin mit ihren Mitspielern in Streit und schrie: »Schlagt ihm den Kopf ab!« oder: »Schlagt ihr den Kopf ab!« Die von ihr Verurteilten wurden dann von Soldaten abgeführt, die natürlich nicht länger als Tore dienen konnten, so daß nach etwa einer halben Stunde kein einziges Tor mehr vorhanden war, und alle Spieler, außer dem König, der Königin und Alice, als Todeskandidaten verhaftet waren.

Da gab die Königin ganz erschöpft das Spiel auf und fragte Alice: »Hast du eigentlich schon die Falsche Suppenschildkröte getroffen?«

»Nein«, entgegnete Alice. »Ich weiß ja nicht einmal, was eine Falsche Suppenschildkröte ist.«

»Aus ihr wird die Falsche Schildkrötensuppe hergestellt«, erklärte die Königin.

»Die habe ich weder gesehen noch davon gehört«, sagte Alice.

»Na, dann komm mal mit«, meinte die Königin, »sie wird dir ihre Lebensgeschichte erzählen.«

Im Weggehen hörte Alice, wie der König der ganzen Gesellschaft zuflüsterte: »Ihr seid alle begnadigt.« »Ach, *das* ist aber schön!« sagte sie zu sich, denn die zahlreichen Todesurteile der Königin hatten sie ganz unglücklich gemacht.

Schon sehr bald kamen sie zu einem Greifen, der im hellen Sonnenschein fest eingeschlafen war. »Auf, du Faulpelz!« befahl die Königin, »nimm die kleine Dame hier mit zur Falschen Suppenschildkröte, damit sie ihre Lebensgeschichte erfährt. Ich muß zurückgehen und mich um die angeordneten Hinrichtungen kümmern.« Und sie ging und ließ Alice mit dem Greif allein. Alice mochte es nicht, wie das Wesen sie musterte, aber im großen und ganzen schien es ihr sicherer, bei ihm zu bleiben, als dieser grausamen Königin zu folgen; also wartete sie ab.

Der Greif richtete sich auf und rieb sich die Augen; dann blickte er der Königin nach, bis sie verschwunden war; sodann kicherte er. »Was für ein Spaß!« lachte der Greif halb in

sich hinein, halb zu Alice hin.

»Wo *ist* da der Spaß?« erkundigte sich Alice.

»Nun, *sie* natürlich«, erläuterte der Greif. »Das geschieht doch alles nur in ihrer Einbildung; niemand denkt daran, jemanden hinzurichten. Na, komm schon!«

»Jeder sagt hier einfach ›Komm schon!‹« grollte Alice in Gedanken und folgte langsam. »Noch nie, niemals in meinem Leben bin ich so sehr herumkommandiert worden!«

Sie waren noch nicht weit gegangen, da erblickten sie in der Ferne die Falsche Suppenschildkröte, die einsam und traurig auf einem niedrigen Felsvorsprung saß, und beim Näherkommen konnte Alice sie seufzen hören, als bräche ihr das Herz. Alice hatte gleich tiefes Mitleid. »Was bedrückt sie denn so sehr?« fragte sie den Greif. Und der Greif antwortete fast ebenso wie zuvor: »Das ist doch nur ihre Einbildung; sie bedrückt nämlich eigentlich gar nichts. Komm schon!«

Also gingen sie zur Falschen Suppenschildkröte, die sie aus tränenvollen Augen betrachtete, aber nichts sagte.

»Diese kleine Dame hier«, sagte der Greif, »will deine Lebensgeschichte kennenlernen.«

»Ich werde sie ihr erzählen«, erklärte sich die Falsche Suppenschildkröte mit Grabesstimme bereit. »Nehmt beide Platz und lauscht mir still, bis ich zu Ende bin.«

Also setzte sie sich hin, und einige Minuten lang herrschte Schweigen. Alice dachte schon: »Wie soll die *bloß* zu Ende kommen, wenn sie nicht einmal anfängt.« Doch sie wartete geduldig.

»Einstmals«, seufzte die Falsche Suppenschildkröte schließlich, »war ich eine echte.«

Darauf folgte langes Schweigen, was nur von einem gelegentlichen »Krrchkt!« des Greifen und ständigen tiefen Schluchzern der Falschen Suppenschildkröte unterbrochen wurde. Alice wollte schon aufstehen und sagen: »Herzlichen

Dank, meine Dame, für ihre wirklich interessante Geschichte!«, aber sie konnte sich einfach nicht vorstellen, daß das *alles* war, so blieb sie sitzen und sagte nichts.

»Als wir noch klein waren«, erzählte die Falsche Suppenschildkröte etwas ruhiger weiter, wenn sie auch dann und wann noch ein wenig aufschluchzte, »sind wir im Meer zur Schule gegangen. Unser Lehrer war eine alte Schildkröte – wir nannten ihn nur Schult-Gräter –«

»Warum nanntet ihr ihn denn Schult-Gräter?« erkundigte sich Alice.

»Wir nannten ihn Schult-Gräter, weil er auch die Grätentiere schulte«, raunzte die Falsche Suppenschildkröte. »Du bist wirklich schwer von Begriff!«

»Du solltest dich schämen, so dumme Fragen stellt man doch nicht«, ergänzte der Greif; und dann saßen sie schweigend da und sahen die arme Alice an, die am liebsten im Erdboden versunken wäre. Schließlich ermunterte der Greif die Falsche Suppenschildkröte: »Fahr fort, meine Alte! Sonst brauchst du noch den ganzen Tag!«, und die wiederholte:

»Jawohl, wir sind im Meer zur Schule gegangen, auch wenn du es vielleicht nicht glaubst –«

»Das habe ich mit keiner Silbe gesagt!« unterbrach Alice.

»Und ob«, behauptete die Falsche Suppenschildkröte.

»Halt den Mund!« warf der Greif ein, ehe Alice etwas entgegnen konnte. Die Falsche Suppenschildkröte fuhr fort.

»Man ließ uns die allerbeste Erziehung angedeihen – wir sind wahrhaftig jeden Tag zur Schule gegangen –«

»*Ich* geh auch täglich zur Schule«, protestierte Alice. »Darauf brauchst du dir wirklich nichts zugute zu halten.«

»Inklusive Wahlfächer?« erkundigte sich die Falsche Suppenschildkröte besorgt.

»Ja«, bestätigte Alice, »wir haben noch Französisch und Musik.«

»Und Waschen?« fragte die Falsche Suppenschildkröte.

»Bestimmt nicht!« wehrte Alice entschieden ab.

»Aha! Dann war deine eben doch keine wirklich gute Schule«, sagte die Falsche Suppenschildkröte erleichtert. »Also, bei *uns* stand unten auf der Rechnung: ›Französisch, Musik *und* Waschen – extra‹.«

»Viel kann euch das ja nicht bedeutet haben«, gab Alice zu bedenken, »wenn ihr auf dem Meeresgrund lebtet.«

»Ich konnte mir das auch nicht leisten«, seufzte die Falsche Suppenschildkröte. »Ich hatte nur die regulären Fächer.«

»Und die waren?« erkundigte sich Alice.

»Also, zuerst einmal natürlich Lösen und Reiben«, erwiderte die Falsche Suppenschildkröte, »und dann die verschie-

denen Methoden der Arithmetik – Aar-Tieren, Suppenstie-
ren, Muli-plissieren und Die-vier-Türen.«

»Von ›Muli-plissieren‹ habe ich noch nie etwas gehört«,
wagte Alice einzuwerfen. »Was ist das?«

Verwundert hob der Greif die Tatzen. »Was! Hat noch nie
von Muli-plissieren gehört!« rief er aus. »Aber du weißt doch
bestimmt, was plissieren ist?«

»Ja«, erinnerte sich Alice mühsam: »es bedeutet – etwas –
in – Falten – legen.«

»Nun, also«, fuhr der Greif fort, »und wenn du jetzt nicht
weißt, was Muli-plissieren ist, dann bist du *schlicht* ein Sim-
pel.«

Zu weiteren Erkundigungen darüber hatte Alice keinen
Mut; also wandte sie sich an die Falsche Suppenschildkröte
und fragte: »Was habt ihr denn sonst noch gelernt?«

»Also, da waren Gerichte«, erwiderte die Falsche Suppenschildkröte und zählte die Fächer an ihren Flossen ab, »– Gerichte, von früher und heute, Seeographie; dann Weichen –
der Weichenlehrer war ein alter Meeraal, der gewöhnlich einmal die Woche vorbeikam – er lehrte aus Weichen, Kitz-zie-
ren und Gunst-Geschicke.«

»Wie geht denn *das*?« wollte Alice wissen.

»Ach, leider kann ich es dir nicht vormachen«, mußte die
Falsche Suppenschildkröte eingestehen. »Ich bin zu steif.
Und der Greif hat es niemals gelernt.«

»Hatte keine Zeit«, präzisierte der Greif, »ich bin nämlich
zu einem Altsprachler gegangen. Der war *wahrlich* ein ganz alter Krebs.«

»Bei dem war ich nie«, seufzte die Falsche Suppenschildkröte. »Er lehrte Krieg-dich und Laßt-sein, wie man so sagte.«

»Ganz recht, ganz recht«, pflichtete der Greif bei und
seufzte ein ums andere Mal, und beide bargen ihr Gesicht in
den Pranken.

»Und wie viele Stunden Unterricht hattet ihr pro Tag?«
fragte Alice, um rasch das Thema zu wechseln.

»Zehn Stunden am ersten Tag«, zählte die Falsche Suppenschildkröte auf, »neun am nächsten und so weiter.«

»Was für ein kurioser Plan!« rief Alice aus.

»Deshalb nennt man es auch Unterricht«, erklärte der
Greif. »Weil die Stunden nämlich immer *unter* dem *Richt*wert
des Vortages lagen.«

Diese Definition war für Alice ganz neuartig, und sie grübelte ein wenig darüber, ehe sie als nächstes bemerkte: »Dann
müßt ihr am elften Tag ja frei gehabt haben?«

»Aber natürlich«, bestätigte die Falsche Suppenschildkröte.

»Und was habt ihr am zwölften Tag gemacht?« fuhr Alice
eifrig fort.

»Das ist genug zum Thema Unterricht«, unterbrach der
Greif mit Entschiedenheit. »Erzähl ihr jetzt etwas über die
Spiele.«

X. KAPITEL

Die Hummer-Quadrille

Die Falsche Suppenschildkröte seufzte tief und rieb sich mit dem Flossenrücken die Augen. Sie sah zu Alice hin und wollte etwas sagen, aber eine ganze Weile vermochte sie nur zu schluchzen. »Man könnte fast meinen, ihr steckte eine Gräte im Hals«, meinte der Greif und fing an, sie zu schütteln und ihr auf den Rücken zu klopfen. Endlich konnte die Falsche Suppenschildkröte wieder sprechen, und mit tränennassen Wangen fuhr sie fort: »Du hast wahrscheinlich noch nicht oft im Meer gelebt –« (»Ganz bestimmt nicht«, bestätigte Alice) »– und wahrscheinlich hast du noch nie mit einem Hummer Bekanntschaft geschlossen –« (Alice setzte gerade ein: »Ich habe schon einmal probiert –«, aber sie unterbrach sich hastig und meinte: »Nein, niemals!«) »– also hast du nicht die geringste Ahnung, wie wunderhübsch eine Hummer-Quadrille ist!«

»Das stimmt«, gab Alice zu. »Was ist das für ein Tanz?«

»Also«, erklärte der Greif, »zuerst bildet man am Ufer entlang eine Reihe –«

»Zwei Reihen!« protestierte die Falsche Suppenschildkröte. »Seehunde, Schildkröten, Lachse und so weiter; dann, wenn man die Quallen beiseite geräumt hat –«

»*Das* braucht normalerweise seine Zeit«, unterbrach der Greif.

»– macht man zwei Schritte vor –«

»Jeder hat einen Hummer als Partner!« schrie der Greif.

»Klar doch«, bekräftigte die Falsche Suppenschildkröte: »zwei Schritte vor, Verbeugung vor dem Partner –«

»– Wechsel der Hummer und auf dieselbe Weise wieder zurück«, setzte der Greif fort.

»Ja, und dann, weißt du«, führte die Falsche Suppenschildkröte weiter aus, »dann wirft man die –«

»Hummer!« schrie der Greif und sprang in die Luft.

»– so weit, wie man nur kann, ins Meer hinaus –«

»Schwimmt ihnen nach!« kreischte der Greif.

»Schlägt im Meer einen Purzelbaum!« brüllte die Falsche Suppenschildkröte und sprang wild herum.

»Wechselt abermals die Hummer!« krähte der Greif.

»Zurück ans Ufer, und – das ist schon die erste Figur«, sagte die Falsche Suppenschildkröte und dämpfte dabei plötzlich ihre Stimme; und die beiden Wesen, die soeben noch wie verrückt in der Gegend herumgehopst waren, saßen wieder sehr traurig und still da und blickten Alice an.

»Das muß ja ein sehr hübscher Tanz sein«, meinte Alice zaghaft.

»Würdest du ihn gern einmal ein bißchen sehen?« fragte die Falsche Suppenschildkröte.

»Aber sehr gerne«, sagte Alice.

»Komm, wir wollen einmal die erste Figur versuchen!« schlug die Falsche Suppenschildkröte dem Greif vor. »Wir können es nämlich auch ohne Hummer. Wer von uns beiden soll singen?«

»Oh, sing *du*«, bat der Greif. »Ich habe den Text vergessen.«

Und so tanzten sie feierlich um Alice herum, wobei sie ihr dann und wann auf die Zehen traten, wenn sie zu nahe kamen, und mit ihren Vorderpfoten den Takt schlugen, während die Falsche Suppenschildkröte das folgende sehr langsam und traurig sang:

> »›Weißfischlein, Weißfischlein, was gehst du schnell?‹
> ›Weil ein Hecht von hinten kneift,
> Und man vorn zum Tanze pfeift!
> Schneckelein, Schneckelein drum geh ich schnell.‹

> ›Weißfischlein, Weißfischlein, wie geht der Tanz?‹
> ›Man hakt sich beim Hummer ein,
> Wirft ihn weit ins Meer hinein!
> Schneckelein, Schneckelein, so geht der Tanz.‹

> ›Weißfischlein, Weißfischlein, muß ich ins Meer?‹
> ›Ja, du folgst dem Hummer gleich,
> Purzelst wild ins Meeresreich!
> Schneckelein, Schneckelein, mußt hinterher.‹

> ›Weißfischlein, Weißfischlein, das geht zu weit!‹
> ›Bist du denn ein Hasenfuß,
> Daß du scheust des Meeres Gruß!
> Schneckelein, Schneckelein, mach dich bereit.‹«

»Vielen Dank, der Tanz ist sehr hübsch anzusehen«, sagte Alice, die sehr erleichtert das Ende registrierte, »und das seltsame Lied von dem Weißfisch gefällt mir ganz besonders!«

»Ach, übrigens Weißfisch«, meinte die Falsche Suppenschildkröte, »du hast doch sicher schon mal welche gesehen?«

»Aber natürlich«, bestätigte Alice, »ich habe sie schon öfter gesehen, und zwar in der Pfann –« Hier unterbrach sie sich.

»Ich weiß zwar nicht, wo die Pfann fließt«, meinte die Falsche Suppenschildkröte, »aber wenn du sie da so oft gesehen hast, weißt du natürlich, wie sie aussehen?«

»Ich denke ja«, erwiderte Alice nachdenklich. »Sie tragen den Schwanz im Maul und sind mit Krümeln bestreut.«

»Also, das mit den Krümeln muß ein Irrtum sein«, zweifelte die Suppenschildkröte, »Krümel würden im Meer ja weggewaschen. Doch die Schwänze tragen sie im Maul; und der Grund ist –« an dieser Stelle gähnte die Falsche Suppenschildkröte und schloß die Augen. »Erkläre du ihr den Grund und das ganze Drumherum«, bat sie den Greif.

»Der Grund ist«, erläuterte der Greif, »weil sie immer mit den Hummern tanzen wollen. Deswegen werden sie aufs Meer hinausgeschleudert. Deswegen fliegen sie so lange durch die Luft. Deswegen halten sie ihren Schwanz mit dem Maul fest. Deswegen bekommen sie ihn dann nicht mehr heraus. Das ist alles.«

»Danke«, sagte Alice, »das ist sehr interessant. All das war mir bisher nicht vom Weißfisch bekannt.«

»Wenn du magst, erzähle ich dir noch mehr«, bot der Greif an. »Weißt du eigentlich, warum er Weißfisch genannt wird?«

»Ich habe noch nie darüber nachgedacht«, gestand Alice. »Warum?«

»Weil er die Sandbänke streicht«, erwiderte der Greif sehr feierlich.

Alice war nun völlig verwirrt. »Streicht die Sandbänke!« wiederholte sie verwundert.

»Nun, was macht man mit einer Gartenbank?« half ihr der Greif auf die Sprünge. »Wie schützt man sie gegen Wind und Wetter?«

Alice grübelte einen Augenblick darüber nach und antwortete dann: »Sie wird geschwärzt, soviel ich weiß.«

»Die Sandbänke im Meer«, fuhr der Greif mit Baßstimme fort, »werden eben vom Weißfisch geweißt. Nun schwärzt du es – ich meine, nun weißt du es.«

»Und wo stehen solche Sandbänke?« wollte Alice neugierig wissen.

»Zwischen Becken in den Brisen natürlich«, entgegnete der Greif ziemlich ungeduldig, »das weiß doch jede Krabbe.«

»Wenn ich der Weißfisch gewesen wäre«, überlegte Alice, die sich in Gedanken immer noch mit dem Lied beschäftigte, »hätte ich dem Hecht gesagt: ›Tummel dich sofort von dannen! *Dich* können wir hier nicht gebrauchen!‹«

»Sie müssen ihn einfach dabei haben«, widersprach die Falsche Suppenschildkröte. »Kein weiser Fisch würde jemals ohne einen Hecht irgendwohin gehen.«

»Wahrhaftig nicht?« staunte Alice.

»Natürlich nicht«, bekräftigte die Falsche Suppenschildkröte. »Also, wenn ein Fisch zum Beispiel zu *mir* käme und mir sagte, er müsse vor Gericht, dann würde ich ihm empfehlen: ›Verlange deinen Hecht!‹«

»Meinst du vielleicht ›dein Recht‹?« fragte Alice.

»Ich meine, was ich sage«, sagte die Falsche Suppenschildkröte beleidigt. Und der Greif fügte hinzu: »Na los, erzähle uns einmal von *deinen* Erlebnissen.«

»Ich könnte euch ja meine Erlebnisse erzählen – aber ich beginne mit heute morgen«, meinte Alice schüchtern, »denn weiter zurückzugehen ist sinnlos, weil ich da noch jemand anderer war.«

»Das mußt du aber erst erklären«, forderte die Falsche Suppenschildkröte.

»Nein, nein! Zuerst die Erlebnisse«, rief der Greif ungeduldig. »Erklärungen brauchen so schrecklich viel Zeit.«

Also erzählte Alice all ihre Erlebnisse von der Begegnung

mit dem weißen Kaninchen an. Dabei war sie zu Beginn noch
ein wenig ängstlich, denn die beiden Wesen kamen von verschiedenen Seiten ganz dicht an sie heran und sperrten Mund
und Nase auf; aber allmählich fuhr sie immer mutiger fort.
Ihre Zuhörer waren mucksmäuschenstill, bis sie zu der Stelle
kam, wo sie für die Raupe ›*Willst du nicht das Lämmlein hüten*‹
aufgesagt hatte und die Worte alle ganz anders herausgekom-
men waren. Da holte die Falsche Suppenschildkröte tief Luft
und merkte an: »Das ist sehr kurios!«

»Kurioser geht es wohl überhaupt nicht«, stimmte der
Greif zu.

»Kamen alle ganz anders heraus!« wiederholte die Falsche
Suppenschildkröte versonnen. »Ich möchte doch gern einmal
hören, was herauskommt, wenn sie jetzt etwas aufsagt. Sag
ihr, sie soll gleich beginnen.« Dabei sah sie den Greifen an, als
habe er ihrer Meinung nach über Alice zu bestimmen.

»Steh auf und sage ›*Gelassen steigt die Nacht an Land*‹ auf«, befahl der Greif.

»Wie die Kerle einen herumkommandieren und Gedichte
aufsagen lassen!« dachte Alice. »Das ist ja genau wie in der
Schule.« Dennoch stand sie auf und sagte es auf, doch sie war
in Gedanken noch so bei der Hummer-Quadrille, daß sie
kaum wußte, was sie sagte; und die Worte waren wirklich sehr
merkwürdig:

> »*Gelassen steigt der Krebs an Land,*
> *Lehnt träumend an der Felsen Rand.*
> *Sein Aug' reibt mit der Nas' er nun,*
> *Das wollt' er nicht mit Scheren tun.*
> *Und kecker rauschen die Quallen hervor,*
> *Sie singen verlockend ihm ins Ohr*
> *Vom Mahle,*
> *Vom heute gewesenen Mahle.*«

»Das unterscheidet sich ja erheblich davon, wie *ich* es aus meiner Kindheit kenne«, urteilte der Greif.

»Also *ich* höre es zwar zum ersten Mal«, meinte die Falsche
Suppenschildkröte, »aber mir klang es völlig unsinnig.«

Alice sagte nichts; sie hatte sich hingesetzt, verbarg ihr Gesicht in den Händen und fragte sich, ob alles *jemals* wieder normal werden würde.

»Ich würde gern um eine Erklärung bitten«, sagte die Falsche Suppenschildkröte.

»Sie kann es nicht erklären«, warf der Greif hastig ein.
»Komm zum nächsten Vers.«

»Aber was ist mit den Augen?« beharrte die Falsche Suppenschildkröte. »Wie *kann* er denn die Augen überhaupt mit
der Nase reiben?«

»Das ist beim Tanz die erste Figur«, behauptete Alice; aber
sie war von dem ganzen völlig verwirrt und wünschte sich
nichts dringender als einen Themawechsel.

»Komm zum nächsten Vers«, wiederholte der Greif, »er beginnt ›*Das uralt alte Schlummerlied*‹.« Alice wagte keinen Wider-
spruch, obgleich sie das sichere Gefühl hatte, daß alles falsch
herauskommen würde, und ihre Stimme zitterte, als sie fort-
fuhr:

> »*Das uralt alte Hummerlied*
> *Sang von der Eule, die war müd'*
> *Und saß mit einem Panther doch*
> *Beim Mahle, und genoß es noch.*
> *Doch in seinen Augen, da blitzte der Mord,*
> *Dann pflanzte in der Luft sich fort*
> *Geheule,*
> *Von der gewesenen...*«

»Was *hat* das Aufsagen des ganzen Zeugs für einen Sinn«, unterbrach die Falsche Suppenschildkröte, »wenn du es nicht

gleichzeitig erklärst. So etwas Konfuses habe ich ja mein Leb-
tag noch nicht gehört!«

»Ja, es ist wohl besser, wenn du abbrichst«, empfahl der
Greif, und Alice war nur zu froh darüber.

»Würdest du gern noch eine Figur aus der Hummer-Quadrille kennenlernen?« bot der Greif an. »Oder möchtest du lieber noch ein Lied von der Falschen Suppenschildkröte hören?«

»Oh, bitte, ein Lied, wenn die Falsche Suppenschildkröte
so freundlich wäre«, rief Alice so eifrig, daß der Greif ziemlich
beleidigt reagierte. »Hm! Das ist ja wohl Geschmackssache!
Dann sing ihr mal ›Schildkrötensuppe‹ vor, wie, meine Alte?«

Die Falsche Suppenschildkröte seufzte tief und begann mit
schluchzender Stimme dies zu singen:

> »*Sah ein Rab' ein Süpplein stehn,*
> *Süpplein auf dem Herde,*
> *Roch so würzig und so schön,*
> *Flog er schnell, es nah zu sehn,*
> *Sah es, wie es werde,*
> *Süpplein, Süpplein, Süpplein heiß,*
> *Süpplein auf dem Herde.*
>
> *Rabe sprach: ›Ich schlecke dich,*
> *Süpplein auf dem Herde.‹*
> *Süpplein sprach: ›Ich brenne dich,*
> *Daß du ewig denkst an mich*
> *Und hast viel Beschwerde!‹*
> *Süpplein, Süpplein, Süpplein heiß,*
> *Süpplein auf dem Herde.*
>
> *Und der wilde Rabe aß*
> *'s Süpplein auf dem Herde.*

Süpplein brannte ihn mit Wras',
Half ihm doch kein Weh und Ach
Noch tonsaure Erde.
Süpplein, Süpplein, Süpplein heiß,
Süpplein auf dem Herde.‹«

»Noch mal den Refrain!« kreischte der Greif, und die Falsche Suppenschildkröte hatte gerade damit eingesetzt, als man in der Ferne den Ruf hörte: »Die Verhandlung beginnt!«

»Komm schon!« rief der Greif, nahm Alice bei der Hand und rannte davon, ohne das Ende des Liedes abzuwarten.

»Was für eine Verhandlung denn?« keuchte Alice beim Laufen; doch der Greif antwortete bloß: »Komm schon!« und rannte nur noch schneller, während immer ferner, von einer Brise ihnen hinterhergetragen, die melancholischen Worte klangen:

»Süpplein, Süpplein, Süpplein heiß,
Süpplein auf dem Herde.«

XI. KAPITEL

Wer hat die Törtchen gestohlen?

Bei ihrer Ankunft saßen der Herzkönig und die Herzkönigin auf ihrem Thron, und viel Volk hatte sich um sie versammelt – alle möglichen kleinen Vögel und Vierbeiner wie auch das vollständige Kartenspiel. In Ketten stand der Herzbube vor ihnen mit einem Wachsoldaten an jeder Seite; und nahe beim König stand das weiße Kaninchen mit einer Trompete in der einen und einer Pergamentrolle in der anderen Hand. Genau in der Mitte des Gerichtssaals befand sich ein Tisch mit einer Vielzahl Törtchen darauf: Sie sahen so einladend aus, daß Alice von ihrem bloßen Anblick ganz hungrig wurde – »Wenn sie nur schon mit der Verhandlung am Ende wären«, dachte sie, »und das kalte Büfett eröffnen würden!« Doch das schien in keinster Weise beabsichtigt; so sah sie sich zum Zeitvertreib ein wenig genauer um.

In einem Gerichtssaal war Alice noch nie zuvor gewesen, aber sie hatte darüber in Büchern gelesen, und sie war ziemlich stolz, daß sie alles beim rechten Namen nennen konnte. »Das da ist der Richter«, sagte sie zu sich, »denn er trägt eine lange Perücke.«

Der Richter war übrigens der König, und da er über der Perücke noch seine Krone trug, sah er gar nicht glücklich drein, und es paßte auch überhaupt nicht zusammen.

»Und das ist die Geschworenenbank«, dachte Alice, »und diese zwölf Tiere – « (sie mußte einfach »Tiere« sagen, da einige nämlich Vierbeiner und andere Vögel waren) » – sind bestimmt die Geschworenen.« Das letzte Wort wiederholte sie mehrere Male vor sich hin, so stolz war sie darauf; denn sie meinte, daß sehr wenige kleine Mädchen ihres Alters überhaupt die Bedeutung davon kannten – womit sie zweifellos recht hatte. Jedoch hätte »Beisitzer« fast ebenso gut gepaßt.

Geschäftig machten die zwölf Geschworenen auf ihren Schiefertafeln Notizen. »Was schreiben die da bloß?« flüsterte Alice dem Greifen zu. »Ehe die Verhandlung beginnt, gibt es doch gar nichts zu notieren.«

»Sie schreiben sich ihre Namen auf«, antwortete der Greif wispernd, »weil sie fürchten, sie könnten sie vor dem Ende der Verhandlung vergessen haben.«

»Hohlköpfe!« rügte Alice laut, doch hastig hielt sie inne, denn das weiße Kaninchen verlangte lauthals: »Ruhe im Gericht!«, und der König setzte seine Brille auf und spähte nach dem Sprecher aus.

Als Alice über ihre Schultern blickte, konnte sie sehen, wie alle Geschworenen »Hohlköpfe!« auf ihre Tafeln schrieben, und sie bemerkte sogar, daß einer von ihnen nicht wußte, wie man »hohl« schreibt, und er deswegen seinen Nachbarn fragen mußte. »Noch bevor die Verhandlung vorbei ist, werden die ja ein hübsches Durcheinander auf ihren Tafeln haben.«

Einer von ihnen quietschte mit seinem Griffel. Das war nun etwas, das Alice *überhaupt nicht* vertragen konnte. Sie ging um die Bank herum und stellte sich hinter ihn, und bald schon fand sich eine Gelegenheit, ihm den Griffel wegzunehmen.

Das passierte so schnell, daß der arme kleine Geschworene (es war Bill, die Eidechse) gar nicht wußte, wie ihm geschah; und als er überall vergeblich nach dem Griffel gesucht hatte, konnte er den Rest der Sitzung nur noch mit einem Finger schreiben; und das war wenig sinnvoll, denn der hinterließ auf der Tafel keinerlei Spuren.

»Herold, verlies die Anklage!« befahl der König.

Darauf blies das weiße Kaninchen dreimal in die Trompete, entrollte das Pergament und las das Folgende:

> *»Herzkönigin stellt Törtchen hin*
> *An einem Sommertag;*
> *Herzbube nahm Törtchen infam,*
> *Weil er sie gerne mag!«*

»Fällt euren Spruch«, verlangte der König von den Geschworenen.

»Nein, noch nicht!« unterbrach das Kaninchen hastig. »Davor kommt noch eine ganze Menge anderes!«

»Ruft den ersten Zeugen auf«, ordnete der König an, und das weiße Kaninchen ließ drei Trompetenstöße erschallen und schrie: »Erster Zeuge!«

Der erste Zeuge war der Hutmacher. Er trat mit einer Teetasse in der einen und einem Butterbrot in der anderen Hand auf. »Verzeiht, Euer Majestät«, begann er, »daß ich das hier mit hereinbringe; aber ich war gerade beim Tee, als man nach mir schickte.«

»Damit hättest du aber längst fertig sein können«, rügte der König. »Wann hast du damit begonnen?«

Der Hutmacher blickte zum Märzhasen hin, der ihm Arm in Arm mit der Schlafmaus in den Gerichtssaal gefolgt war. »Ich *glaube*, es war am vierzehnten März«, mutmaßte er.

»Am fünfzehnten«, korrigierte der Märzhase.

»Am sechzehnten«, meinte die Schlafmaus.

»Schreibt das auf«, befahl der König den Geschworenen; und die notierten alle drei Daten auf ihren Tafeln, addierten sie und übertrugen das Ergebnis in Schilling und Pence.

»Setz deinen Hut ab«, gebot der König dem Hutmacher.

»Der gehört nicht mir«, erklärte der Hutmacher.

»*Gestohlen!*« schrie der König und wandte sich an die Geschworenen, die diese Tatsache auf der Stelle vermerkten.

»Ich habe sie nur zum Verkaufen«, fügte der Hutmacher als Erklärung hinzu. »Ich besitze gar keinen. Ich bin Hutmacher.«

Hier setzte sich die Königin die Brille auf und fixierte den Hutmacher scharf, der erbleichte und zu zittern begann.

»Mach deine Zeugenaussage«, verlangte der König, »und sei nicht so nervös, sonst wirst du auf der Stelle hingerichtet.«

Dies schien den Zeugen in keinster Weise zu beruhigen; er trat von einem Fuß auf den anderen, betrachtete besorgt die Königin und biß in seiner Verwirrung ein großes Stück von der Teetasse statt von dem Butterbrot ab.

Gerade da überkam Alice ein merkwürdiges Gefühl, das sie total verwirrte, ehe sie begriff, worum es sich handelte: Sie war wieder dabei zu wachsen. Sie wollte schon aufstehen und den Saal verlassen; aber dann entschloß sie sich, solange sie noch genug Platz hatte, zu bleiben, wo sie war.

»Mach dich doch nicht so breit«, beklagte sich die Schlafmaus, die neben ihr saß. »Ich kann ja kaum noch atmen.«

»Ich kann nichts daran ändern«, entschuldigte sich Alice. »Ich wachse.«

»*Hier* hast du kein Recht zu wachsen«, sagte die Schlafmaus.

»Red doch keinen Blödsinn«, verteidigte sich Alice energisch. »Du weißt doch ganz genau, daß du auch wächst.«

»Stimmt, aber *ich* wachse allmählich«, meinte die Schlaf-

maus, »und nicht in so lächerlichen Schüben.« Und damit erhob sie sich mürrisch und begab sich zur gegenüberliegenden
Seite des Saales.

Die ganze Zeit über hatte die Königin nicht aufgehört, den
Hutmacher anzustarren, und in dem Augenblick, als die
Schlafmaus den Gerichtssaal durchquerte, befahl sie einem
der Gerichtsdiener: »Bring mir das Programm vom letzten
Konzert!«, worauf der unglückliche Hutmacher derart zit-
terte, daß er beide Schuhe verlor.

»Mach deine Zeugenaussage«, wiederholte der König verärgert, »oder ich lasse dich hinrichten, ob du nun nervös bist
oder nicht.«

»Ich bin ein armer Mann, Euer Majestät«, begann der
Hutmacher mit bebender Stimme, »und ich hatte mich doch
gerade erst zum Tee niedergelassen – kaum eine Woche her
oder so – und mit was für dünnen Butterbroten – und das Tanzen im Tee –«

»Das Tanzen *wovon*?« wollte der König wissen.

»Das *begann* mit dem Tee«, erwiderte der Hutmacher.

»Natürlich *beginnt* Tanzen mit einem T!« sagte der König scharf. »Hältst du mich für einen Trottel? Was noch?«

»Ich bin ein armer Mann«, fuhr der Hutmacher fort, »und dann fing alles zu tanzen an – nur der Märzhase hat gesagt –«

»Hab ich nicht!« unterbrach der Märzhase schleunigst.

»Hast du doch!« bekräftigte der Hutmacher.

»Das bestreite ich!« beharrte der Märzhase.

»Er bestreitet es«, schaltete sich der König ein. »Laß es also fallen.«

»Also, jedenfalls hat die Schlafmaus gesagt –« erzählte der Hutmacher weiter und blickte sich vorsichtig um, um festzustellen, ob sie es ebenfalls bestreite; doch die Schlafmaus bestritt gar nichts, da sie fest eingeschlafen war.

»Danach«, setzte der Hutmacher fort, »machte ich mir noch ein Butterbrot –«

»Aber was hat denn die Schlafmaus gesagt?« erkundigte sich einer der Geschworenen.

»Daran kann ich mich nicht erinnern«, gestand der Hutmacher.

»Du *mußt* dich erinnern«, bemerkte der König, »oder ich werde dich hinrichten lassen.«

Der unglückliche Hutmacher ließ Teetasse und Butterbrot fallen und kniete nieder. »Ich bin ein armer Mann, Euer Majestät«, begann er.

»Du bist ein armseliger *Zeuge*«, korrigierte der König.

Darauf brach eines der Meerschweinchen in Jubel aus, was von den Gerichtsdienern augenblicklich unterbunden wurde. (Da das ein ziemlich schwieriges Wort ist, will ich dir erklären, wie man dabei vorging. Sie nahmen einen großen Seesack, stopften das Meerschweinchen kopfüber hinein, banden ihn zu und setzten sich darauf.)

»Ich bin froh, daß ich das einmal miterlebt habe«, dachte
Alice. »Oftmals habe ich in der Zeitung beim Ende einer Verhandlung gelesen: ›Es kam zu einzelnen Beifallsbekundun-
gen, die aber von den Gerichtsdienern augenblicklich unterbunden wurden‹, und ich habe bis heute überhaupt nicht verstanden, was damit gemeint war.«

»Wenn das alles ist, was du darüber weißt, dann kannst du
jetzt abgehen«, setzte der König fort.

»Weiter abwärts kann ich nicht gehen«, bedauerte der Hutmacher, »ich bin ja schon am Boden.«

»Dann *setz* dich eben ab«, erwiderte der König.

Hier brach das andere Meerschweinchen in Jubel aus und
wurde ebenfalls unterbunden.

»Na ja, damit sind die Meerschweinchen matt gesetzt!«
dachte Alice. »Jetzt werden wir besser vorankommen.«

»Ich würde gern meinen Tee beenden«, sagte der Hutmacher und betrachtete ängstlich die Königin, die das Musik-
programm las.

»Du kannst gehen«, gestattete der König, und der Hutmacher flitzte aus dem Gerichtssaal, wobei er sich nicht einmal
die Zeit nahm, seine Schuhe anzuziehen.

»– und schlagt ihm draußen den Kopf ab«, befahl die Königin einem der Gerichtsdiener, doch bevor der noch zur Tür
gelangt war, war der Hutmacher schon verschwunden.

»Ruft den nächsten Zeugen!« verlangte der König.

Der nächste Zeuge war die herzögliche Köchin. Sie hielt
den Pfefferstreuer in der Hand, und Alice erriet ihre Anwesenheit, bevor sie noch den Gerichtssaal betreten hatte, weil nämlich auf einmal heftiges Niesen bei den Leuten nahe der Tür
einsetzte.

»Mach deine Aussage«, forderte der König.

»Mag nicht«, weigerte sich die Köchin.

Hilflos sah der König das weiße Kaninchen an, das ihm zuflüsterte: »Euer Majestät müssen *diese* Zeugin ins Kreuzverhör nehmen.«

»Nun, was sein muß, muß sein«, seufzte der König düster, kreuzte die Arme, blickte die Köchin stirnrunzelnd an, bis seine Augen fast verschwunden waren, und brummte dann: »Welche Zutaten braucht man für Törtchen?«

»Hauptsächlich Pfeffer«, meinte die Köchin.

»Sirup«, korrigierte eine verschlafene Stimme hinter ihr.

»Packt die Schlafmaus!« kreischte die Königin. »Köpft die Schlafmaus! Macht der Schlafmaus den Garaus! Weg mit ihr! Unterbindet sie! Zwickt sie! Bart ab!«

Einige Minuten lang war der ganze Saal in Aufruhr, um die Schlafmaus hinauszusetzen, und als man sich wieder beruhigt hatte, war die Köchin verschwunden.

»Macht nichts!« seufzte der König erleichtert. »Ruft den nächsten Zeugen.« Und mit matter Stimme fügte er zur Königin gewandt hinzu: »Also, meine Liebe, du solltest wirklich

das nächste Kreuzverhör führen. Ich bekomme davon Kopfschmerzen!«

Alice beobachtete, wie das weiße Kaninchen die Liste durchforschte, und sie war sehr neugierig, was mit dem nächsten Zeugen werden würde, »– denn viele Aussagen haben sie *bisher* nicht zusammen«, sagte sie bei sich. Man kann sich ihre Überraschung vorstellen, als das weiße Kaninchen mit schriller Stimme den Namen schrie: »Alice!«

XII. KAPITEL

Alices Zeugnis

»Hier!« meldete sich Alice, wobei sie in ihrem Eifer völlig vergaß, wie sie in den letzten Minuten gewachsen war. Sie sprang so hastig auf, daß sie mit dem Saum ihres Kleides die gesamte Geschworenenbank umwarf, so daß die Geschworenen auf die daruntersitzenden Zuhörer fielen; und da lagen sie nun hilflos herum und erinnerten sie auffällig an das Goldfischglas, das sie aus Versehen in der letzten Woche heruntergeworfen hatte.

»Oh, ich bitte *vielmals* um Entschuldigung!« rief sie ganz bekümmert aus und machte sich daran, sie so schnell wie möglich wieder aufzusammeln, denn das Mißgeschick mit dem Goldfisch spukte ihr immer noch im Kopf herum, und sie hatte irgendwie das Gefühl, sie unverzüglich einsammeln und in die Geschworenenbank setzen zu müssen, da sie sonst sterben würden.

»Die Verhandlung kann nicht weitergeführt werden«, verkündete der König sehr ernst, »bis nicht alle Geschworenen wieder ihre Plätze eingenommen haben – *alle*«, betonte er nochmals und musterte Alice dabei sehr streng.

Alice warf einen Blick in die Geschworenenbank und erkannte, daß sie in ihrer Hast die Eidechse falsch herum gesetzt hatte, und das arme kleine Ding wedelte kläglich mit dem Schwanz, da es sich nicht rühren konnte. Kurz darauf hatte sie sie befreit und richtig hingesetzt. »Was keine große Bedeu-

tung hat«, sagte Alice bei sich, »denn ich schätze, für die Verhandlung ist es *völlig* gleichgültig, wo sie ihren Kopf hat.«

Sobald sich die Geschworenen von dem Schock ihres Sturzes ein wenig erholt und ihre Tafeln und Griffel wieder zur Hand hatten, notierten sie sehr gewissenhaft den Unfallhergang ausgenommen die Eidechse, die noch so benommen war, daß sie nur mit offenem Maul zur Decke hoch starren konnte.

»Was weißt du von der Sache?« fragte der König Alice.

»Nichts«, sagte Alice.

»*Überhaupt* nichts?« verlangte der König zu wissen.

»Überhaupt nichts«, bestätigte Alice.

»Das ist äußerst wichtig«, unterrichtete der König die Ge-schworenen. So schrieben sie das schon auf ihre Tafeln nieder, als das weiße Kaninchen einwarf: »*Un*wichtig meinte seine Majestät natürlich«, stellte es ergeben richtig, runzelte dabei jedoch die Stirn und schnitt Grimassen.

»Natürlich meinte ich *un*wichtig«, bestätigte der König ha-stig und murmelte versonnen vor sich hin: »Wichtig – unwich-tig – unwichtig – wichtig –«, als wolle er das Wort mit dem besseren Klang herausfinden.

Einige der Geschworenen schrieben »wichtig« und andere »unwichtig« nieder. Alice konnte das gut beobachten, denn sie stand so nahe, daß sie ihre Tafeln überblicken konnte. »Aber das ist ja wohl ganz egal«, dachte sie.

In diesem Augenblick rief der König, der in der Zwischen-zeit geschäftig in sein Notizbuch geschrieben hatte, laut: »Ruhe!« und las daraus vor: »Paragraph Zweiundvierzig. *Alle Personen von über einem Kilometer Größe haben den Gerichtssaal zu verlassen.*«

Jeder sah zu Alice hin.

»*Ich* bin keinen Kilometer groß«, protestierte Alice.

»Bist du doch«, beharrte der König.

»Sogar fast zwei Kilometer«, fügte die Königin hinzu.

»Wie dem auch sei, ich bleibe«, entschied Alice, »außerdem gibt es den Paragraphen überhaupt nicht, du hast ihn gerade erst erfunden.«

»Das ist der älteste Paragraph in diesem Buch«, behauptete der König.

»Dann trüge er die Nummer eins«, triumphierte Alice.

Der König erbleichte und schloß hastig das Buch. »Wie lautet euer Spruch?« erkundigte er sich mit leiser, bebender

Stimme bei den Geschworenen.

»Da ist noch ein weiteres Beweisstück«, bremste ihn das weiße Kaninchen und sprang eiligst auf, »dieses Schriftstück hat man soeben gefunden.«

»Was enthält es?« wollte der König wissen.

»Ich habe es noch nicht geöffnet«, erklärte das weiße Kaninchen, »aber es scheint sich um einen Brief zu handeln, den der Gefangene geschrieben hat an – an irgend jemanden.«

»So muß es sein«, meinte der König, »wenn er ihn nicht an niemanden geschrieben hat, was, wie man weiß, unüblich ist.«

»An wen ist er adressiert?« erkundigte sich einer der Geschworenen.

»Er ist überhaupt nicht adressiert«, verkündete das weiße Kaninchen: »tatsächlich steht *vorne* nichts drauf.« Dabei entfaltete es das Papier und fügte hinzu: »Es ist eigentlich kein Brief: Es ist ein Gedicht.«

»In der Handschrift des Gefangenen?« wollte ein anderer Geschworener wissen.

»Nein, bestimmt nicht«, stellte das weiße Kaninchen fest, »das ist ja das Merkwürdige.« (Die Geschworenen waren allesamt verwirrt.)

»Dann hat er eine andere Handschrift gefälscht«, entschied der König. (Die Geschworenen waren allesamt erleichtert.)

»Bitte, Euer Majestät«, sagte der Bube, »ich habe es nicht geschrieben, und man kann auch nicht beweisen, daß es von mir ist: Schließlich ist es nicht unterschrieben.«

»Wenn du es nicht unterschrieben hast«, rügte der König, »das macht es nur noch schlimmer. Dann mußt du ja etwas im Schilde geführt haben, denn als Ehrenmann hättest du ansonsten deinen Namen darunter gesetzt.«

Darauf folgte allgemeiner Beifall; das war die erste kluge Bemerkung, die der König an diesem Tag gemacht hatte.

»Das *beweist* natürlich seine Schuld«, urteilte die Königin, »also, ab mit –«

»Es beweist überhaupt nichts!« widersprach Alice. »Ihr wißt ja nicht einmal, wovon es handelt!«

»Lies vor«, sagte der König.

Das weiße Kaninchen setzte sich die Brille auf die Nase. »Was wäre Eurer Majestät als Beginn genehm?« erkundigte es sich.

»Beginn beim Beginn«, ordnete der König ernst an, »lies weiter bis zum Ende, und da höre auf.«

Totenstille herrschte im Saal, während das weiße Kaninchen das Gedicht las:

> *»Man sagt, du warst bei ihr zum Schmaus*
> *Und so sprach ich ihn an:*
> *Sie stellt' mir gutes Zeugnis aus,*
> *Daß ich nicht schwimmen kann.*
>
> *Er sagte ihnen, ich sei da*
> *(Wir wissen, daß es stimmt):*
> *Was ihr dann wie ein Schlag geschah,*
> *Wie das wohl ein dich nimmt?*
>
> *Ich gab dir eins, sie gaben zwei,*
> *Du gabst uns drei und mehr;*
> *Es ging zu dir zurück dabei,*
> *Sie waren mein, auf Ehr'.*
>
> *Wenn ich, wenn sie zu ändern sei*
> *Durch diese Staatsaffäre,*
> *Er traute dir, du setzt die frei*
> *Gemäß gleich unsrer Lehre.«*

Ich hoffe, du hast keinen Gram
(Bevor sie faßt der Frust),
Doch irgendwas dazwischen kam
Mit deiner, meiner Lust.

Verschweige ihm, daß sie mag sie,
Denn nur so kann es sein
Geheimnis, kennen andre nie,
Nur ich und du allein.«

»Das ist das wichtigste Beweisstück«, stellte der König hände-
reibend fest, »nun sollen also die Geschworenen –«

»Wenn einer von denen das erklären kann«, unterbrach
Alice (sie war in den letzten paar Minuten so sehr gewachsen,
daß sie geradezu tollkühn wurde), »dann bin ich der Oster-
hase. *Meiner* Meinung nach steckt da nicht mal ein Atömchen
Sinn drin.«

Die Geschworenen notierten allesamt auf ihren Tafeln: »*Ihrer* Meinung nach steckt da nicht mal ein Atömchen Sinn
drin«, aber keiner unternahm den Versuch, die Verse zu deu-
ten.

»Wenn es keinen Sinn hat«, meinte der König, »kostet es
auch keinerlei Mühe, denn dann brauchen wir ihn auch nicht
herauszufinden. Und doch bin ich nicht ganz sicher«, grübelte er, indem er das Gedicht über sein Knie breitete und es
mit einem Auge betrachtete, »ob da nicht trotz allem ein Sinn
drin steckt. ›*Daß ich nicht schwimmen kann* –‹ du kannst nicht
schwimmen, oder?« wandte er sich an den Buben.

Der Bube schüttelte traurig den Kopf. »Sehe ich etwa so
aus?« klagte er. (Was wahrhaftig nicht der Fall war, da er aus
Pappe bestand.)

»Das wäre also geklärt«, freute sich der König; und er murmelte weiter die Zeilen vor sich hin: »›*Wir wissen, daß es stimmt*‹

– das sind natürlich die Geschworenen – ›*Was ihr dann wie ein Schlag geschah*‹ – damit muß die Königin gemeint sein – ›*Wie das wohl ein dich nimmt?*‹ – ja, in der Tat! – ›*Ich gab dir eins, sie gaben zwei*‹ – nun, das muß er mit den Törtchen gemacht haben –«

»Aber es heißt weiter: ›*Es ging zu dir zurück dabei*‹!« ergänzte Alice.

»Ja, und da sind sie auch!« triumphierte der König und wies auf den Tisch mit den Törtchen. »Also ist *das* sonnenklar. Dann weiter – ›*Bevor sie faßt der Frust*‹ – Frust hattest du doch noch nie, oder meine Liebe?« fragte er die Königin.

»Niemals!« kreischte die Königin wütend und warf dabei ein Tintenfaß nach der Eidechse. (Der unglückselige kleine Bill hatte nämlich das Schreiben aufgegeben, weil das mit dem Finger vergeblich gewesen war; doch nun fing er wieder hastig damit an, wobei er die Tinte benutzte, die ihm das Gesicht hinunterrann, solange der Vorrat reichte.)

»Dann hat der Verfasser dich nicht *erfaßt*«, freute sich der König und blickte sich lächelnd im Saal um. Es herrschte Totenstille.

»Das war ein Wortspiel!« erklärte der König beleidigt, und alles bog sich vor Lachen. »Wie lautet der Spruch der Geschworenen?« erkundigte sich der König zum x-tenmal an diesem Tag.

»Nein, nein!« widersprach die Königin. »Erst die Strafe – dann das Urteil.«

»So ein Quatsch!« schimpfte Alice laut. »Zuerst die Strafe, das gibt's doch gar nicht!«

»Halt deinen vorlauten Mund!« befahl die Königin und wurde puterrot.

»Fällt mir nicht ein!« weigerte sich Alice.

»Schlagt ihr den Kopf ab!« kreischte die Königin lauthals. Keiner rührte sich.

»Was habt *ihr* überhaupt zu bestellen?« höhnte Alice (sie

war inzwischen zu ihrer normalen Größe gewachsen). »Ihr
seid ja nur ein Kartenspiel!«

Darauf ging das ganze Kartenspiel in die Luft und sauste
auf sie los; sie stieß einen kleinen Schrei aus, halb aus Furcht
und halb aus Ärger, und versuchte, sie abzuwehren, und fand
sich auf einmal am Bachufer wieder, den Kopf im Schoß ihrer
Schwester, die einige welke Blätter entfernte, die von den Bäu-
men auf ihr Gesicht geschwebt waren.

»Wach doch auf, liebe Alice!« rief ihre Schwester. »Du hast
aber lange geschlafen!«

»Ach, ich hatte so einen kuriosen Traum!« seufzte Alice.
Und sie erzählte ihrer Schwester, so ausführlich wie sie
konnte, all ihre merkwürdigen Abenteuer, die du gerade gelesen hast; und am Ende küßte ihre Schwester sie und meinte:
»Das *war* aber auch ein seltsamer Traum, Liebes; nun aber
schnell nach Hause zum Tee: Es ist schon spät.« Also erhob
sich Alice und rannte los, wobei sie immer noch an den wun-
dersamen Traum dachte, und damit tat sie auch ganz recht.

Doch ihre Schwester saß noch eine Zeitlang da, den Kopf in
die Hand gestützt, beobachtete den Sonnenuntergang und
dachte an die kleine Alice und ihre wunderbaren Abenteuer,
bis sie selbst zu träumen begann, und dies war ihr Traum:

Zuerst träumte sie von der kleinen Alice. Abermals spürte
sie die kleinen Hände ihr Knie fassen und sah in ihre leuchtenden Augen – sie konnte den Klang ihrer Stimme hören und
sah die niedliche Kopfbewegung, mit der sie das widerspen-
stige Haar aus dem Gesicht schüttelte – und wie sie noch so
lauschte oder zu lauschen schien, belebte sich der Ort um sie
herum plötzlich mit jenen seltsamen Wesen, von denen ihre
kleine Schwester geträumt hatte.

Im hohen Gras zu ihren Füßen raschelte es, und das weiße
Kaninchen flitzte vorbei – die erschrockene Maus zog plat-
schend ihres Wegs durch den nahen Teich – sie vernahm das

Klirren der Teetassen, als der Märzhase und seine Freunde
ihr unendliches Mahl hielten, und das Keifen der Königin, die
die Hinrichtung ihrer unglückseligen Gäste befahl – abermals
nieste das Ferkelbaby auf den Knien der Herzogin, während
Tiegel und Teller nur so herumkrachten – noch einmal schrie
der Greif, und die Eidechse quietschte mit ihrem Griffel, und

die unterbundenen Meerschweinchen keuchten hörbar nach
Luft, was sich mit dem fernen Schluchzen der unglücklichen
Falschen Suppenschildkröte mischte.

So saß sie mit geschlossenen Augen da und glaubte sich
schon im Wunderland, doch sie wußte, sie brauchte die Augen nur wieder zu öffnen, und alles würde sich in öde Wirk-
lichkeit verwandeln – das Gras wurde nur vom Wind bewegt,
und im Teich raschelte das Schilfrohr – das Klirren der Teetassen würde zum Bimmeln der Schafschellen werden, und
der Königin Gekeife waren die Rufe des Hütejungen – und das

Niesen des Babys, das Gekreisch des Greifen und all die anderen merkwürdigen Geräusche würden sich unweigerlich (sie wußte es ganz sicher) in die konfuse Geräuschkulisse eines betriebsamen Bauernhofes verwandeln – und das ferne Muhen der Kühe würde an die Stelle der Schluchzer der Falschen Suppenschildkröte treten.

Und schließlich stellte sie sich dieselbe kleine Schwester in der Zukunft als erwachsene Dame vor, und wie sie sich auch im Alter das einfache und liebevolle Herz der Kindheit bewahren würde, und wie sie andere kleine Kinder um sich scharte, und wie deren Augen angesichts mancher merkwürdiger Geschichte aufleuchteten, ja, vielleicht sogar beim Traum vom lang vergangenen Wunderland, und wie sie all ihre kleinen Sorgen und all ihre kleinen Freuden teilte in Gedanken an ihre eigene Kindheit und den glücklichen Sommertag.

Nachwort

Die Frage, die sich der Leser als erstes wohl stellen wird, mag sich mit der Tatsache befassen, daß nach so vielen Carroll-Übersetzungen hier eine weitere von mir präsentiert wird. Wenn diese Übersetzung den bisherigen gleichen würde, so wäre die Herausgabe einer weiteren Variante bestimmt überflüssig – obgleich auch Varianten durchaus ihre Reize haben können. Aber ich habe mit dieser Übersetzung einmal etwas ganz neues versucht. Zum einen sind die meisten Wortspiele durch neue Schöpfungen gelöst worden. Aber das ist nicht eigentlich der Punkt. Weit interessanter sind die Übersetzungen der Gedichte. Denn hierbei bin ich von der üblichen Praxis, die englische Vorlage einfach ziemlich getreu zu übertragen, völlig abgegangen. Lewis Carroll hat schließlich mit seinen Gedichten englische Gedichtvorlagen parodiert. Was lag also näher, als den Inhalt der Gedichte auf mehr oder weniger bekannte Produkte deutscher Lyrik zu übertragen.

Nicht in allen Fällen war es notwendig, sich exakt an den Inhalt zu halten. So reichte es zum Beispiel aus, einen englischen »Nursery Rhyme« durch einen bekannten deutschen Kinderreim zu ersetzen, der dann freilich ebenfalls parodiert wurde.

Nun hat Lewis Carroll seinen Lesern oft Rätsel aufgegeben, die er in einem späteren Band aufgelöst hat. Dieser Tradition folgend gebe ich dem geneigten Leser hier auch ein Rätsel auf. Meine Frage lautet: Welche Gedichte von welchen Dichtern werden in dieser Fassung parodiert? Die Auflösung gebe ich in dem folgenden Band »Alice im Spiegelland«.

Da ich mir darüber klar bin, daß so mancher Carroll-Kenner diesen rüden Eingriff in den Text mißbilligen wird, biete ich im folgenden die Gedichte, wie sie bei einer textgetreuen Ausgabe gelautet hätten. Das Kinderlied im zweiten Kapitel würde sich in folgender Fassung präsentieren:

> *Wie läßt das kleine Krokodil*
> *Erglänzen seinen Schwanz,*
> *Gießt ihn mit Wässerchen des Nil,*
> *Verleiht ihm gold'nen Glanz!*

> *Wie freundlich scheint der Grinseblick*
> *Und hübsch die Krall'n des Drachen,*
> *Begrüßt die Fische, klein und dick,*
> *Mit Lächeln tief im Rachen.*

Im fünften Kapitel sagt Alice der Raupe ein langes Gedicht auf. In der wortgetreuen Übersetzung lautet es folgendermaßen:

> *»Du bist alt, Vater Wilhelm«, der Junge entschied,*
> *»Und dein Haarschopf ist schon ziemlich weiß;*
> *Und dennoch man dich auf dem Kopf stehen sieht,*
> *Hältst du das für richtig als Greis?«*

»In der Jugend«, entgegnet' der Vater dem Sohn,
      »Hatte Angst ich, es schwächt das Gehirn,
Doch mein Verstand scheint schon lange entflohn,
      So stehe ich oft auf der Birn'.«

»Du bist alt, Vater Wilhelm, so sieh es doch ein,
      Und bist zudem noch sehr fett,
Wieso springst du rückwärts ins Zimmer hinein?
      Darauf ich die Antwort gern hätt'!«

»In der Jugend«, der Graue entgegnete hier,
      »Man salbte mich gegen Trombose,
Wohlfeil verkaufe die Salbe ich dir
      Für nur einen Schilling die Dose.«

»Du bist alt«, sprach der Sohn, »und was man noch kaut,
      Das solltest du besser nicht essen,
Du ißt von der Gans Knochen, Schnabel und Haut –
      Sag, wieso bist du so vermessen?«

»In der Jugend«, sprach sein Vater, »mußte ich viel
      Mit deiner Mutter streiten,
Das machte die Kiefer derart stabil,
      Das reicht für alle Zeiten.«

»Du bist alt«, sprach der Junge, »und man hält es für Witz,
      Denn schon trübe ist sicher dein Blick,
Daß du trägst einen Aal auf der Nasenspitz' –
      Sag, woher nimmst du das Geschick?«

»Dreimal gab ich Antwort, es dünkt mir, das reicht«,
      Sprach der Vater, »Hast du keine Manieren!
Ich kann nicht mehr hören die Fragen so seicht!
      Geh, sonst werd' ich dich prompt expedieren!«

Im zehnten Kapitel singt die Falsche Suppenschildkröte das
Lied zur Hummer-Quadrille:

»Geht es nicht ein bißchen schneller?« sagt der Heilbutt zu
dem Schneck,
»Denn ein Tümmler verfolgt uns, der tritt mir stets ins Heck.
Sieh wie eifrig schon die Schildkröt' und der Hummer
Ehrenkranz!
Sie erwarten uns am Stein-Strand – kommst du mit mir jetzt zum Tanz?
    Kommst du, bleibst du, kommst du, bleibst du, kommst du mit zum
Tanz?
    Kommst du, bleibst du, kommst du, bleibst du, kommst du mit zum
Tanz?

Du hast wirklich keine Ahnung wie entzückend die Idee,
Wenn sie werfen uns ins Weite mit den Hummern in die See?«
Doch der Schneck »Zu weit, zu weit!« mustert kritisch die Distanz –
Und er dankt dem Heilbutt freundlich, aber lehnte ab den Tanz.
    Möcht nicht, könnt nicht, möcht nicht, könnt nicht, nehm nicht teil
    am Tanz.
    Möcht nicht, könnt nicht, möcht nicht, könnt nicht, nehm nicht teil
    am Tanz.

»Was macht es schon, wie weit wir gehn«, so gab der Fisch Bescheid.
»Da gibt es doch ein Ufer noch, fern auf der an'ren Seit'.
Wenn weiter wir von England, sind näher bei den Franken –
Nur keinen Schreck, geliebter Schneck, laß uns im Tänzchen schwanken.
    Kommst du, bleibst du, kommst du, bleibst du, kommst du mit zum
Tanz?
    Kommst du, bleibst du, kommst du, bleibst du, kommst du mit zum
Tanz?

Im selben Kapitel läßt der Greif die kleine Alice ein Gedicht aufsagen:

Die Stimme des Hummers, ich hör' sie ganz klar:
 »Bin zu sehr gebacken, muß zuckern mein Haar.«
Wie die Ente die Wimpern, so hebt er mit der Nase
 Den Panzer, die Scheren, dreht den Zeh in Ekstase.
Wenn der Sand ist getrocknet, ist er keck wie im Mai,
 Und er redet verächtlich genau wie ein Hai:
Doch wenn kommen die Haie mit des Meeres Flut,
 Dann wird er ganz leise, verliert allen Mut.

Ich sah seinen Garten und unter den Buchen
 Sah Eule und Panther sich teilen 'nen Kuchen:
Die Kruste dem Panther mit Soße und Fleisch,
 Die Eule die leere Schüssel erheisch.
Als der Kuchen gegessen, die Eule bekam
 Die Erlaubnis, daß sie den Löffel sich nahm:
Der Panther das Messer ergriff mit Geheule
 Und wählte zum Nachtisch sich schnell noch die –

Ebenfalls im zehnten Kapitel steht das Lied der Falschen Suppenschildkröte, das in der traditionellen Form folgendermaßen lauten könnte:

 Schöne Suppe, dicke, grüne,
 Wartete heiß in der Terrine!
 Wer stünd da nicht in der Gruppe!
 Abendsuppe, schöne Suppe!
 Schö-höh-ne Suu-ppe!
 Schö-höh-ne Suu-ppe!
 Schöne Suppe! Wer will schon Fisch
 Oder anderes auf dem Tisch!

Wer will nicht holen gleich 'ne Fee
nich wert ist die schöne Suppe?
Pfennigwert ist die schöne Suppe?
  Schö-höh-ne Suu-ppe!
  Schö-höh-ne Suu-ppe!
Aaa-bend-suu-ppe, Suu-ppe,
  Schöne, schö-HÖHNE SUPPE!

Mit diesem Zusatz an formal getreuen Gedichtübersetzungen hoffe ich auch jeden Carroll-Freund zufriedenzustellen, der in meiner Art der Übersetzung einen unerlaubten Eingriff oder sogar ein Sakrileg sieht.

Siegen, Mai 1988   *Dieter H. Stündel*

GOLDMANN CLASSICS

Walt Whitman
Leaves of Grass
7800

Joseph Conrad
Heart of Darkness and
the Secret Sharer   7802

Emily Brontë
Wuthering Heights
7801

Jane Austen
Emma
7803

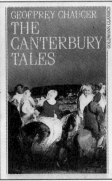

Geoffrey Chaucer
The Canterbury Tales
7804

Francis Hodgson Burnett
A Little Princess
7805

GOLDMANN

Meisterwerke der WELTLITERATUR in Geschenkausgabe

Thomas Morus
Utopia
8688

Wilhelm Raabe
Die schwarze Galeere
8689

Voltaire
Zadig oder Das Schicksal
8690

Nachtwachen
von Bonaventura
8691

Äsop
Fabeln
8692

GOLDMANN

Goldmann
Taschenbücher

Allgemeine Reihe
Unterhaltung und Literatur
Blitz · Jubelbände · Cartoon
Bücher zu Film und Fernsehen
Großschriftreihe
Ausgewählte Texte
Meisterwerke der Weltliteratur
Klassiker mit Erläuterungen
Werkausgaben
Goldmann Classics (in englischer Sprache)
Rote Krimi
Meisterwerke der Kriminalliteratur
Fantasy · Science Fiction
Ratgeber
Psychologie · Gesundheit · Ernährung · Astrologie
Farbige Ratgeber
Sachbuch
Politik und Gesellschaft
Esoterik · Kulturkritik · New Age

Goldmann Verlag · Neumarkter Str. 18 · 8000 München 80

Bitte
senden Sie
mir das neue
Gesamtverzeichnis.

Name: _____

Straße: _____

PLZ/Ort: _____